Eu **LEIO**

MARK TWAIN
O PRÍNCIPE E O MENDIGO

Tradução
Maria Helena Grembecki

editora ática

Título original: *The prince and the pauper*
Título da edição brasileira: *O príncipe e o mendigo*

Editor	Fernando Paixão
Assistente editorial	Isa Mara Lando
	Mário Vilela
Preparador	Jonas Pereira dos Santos
Coordenadora de revisão	Ivany Picasso Batista
Revisora	Luciene Lima

ARTE

Ilustração de capa e miolo	N. A. Reis
Editor	Jayme Leão
Editoração eletrônica	Fukuko Saito

CIP-BRASIL. CATALOGAÇÃO NA FONTE
SINDICATO NACIONAL DOS EDITORES DE LIVROS, RJ

T913p
9.ed.

Twain, Mark, 1835-1910
   O príncipe e o mendigo / Mark Twain ; tradução Maria Helena Grenbecki ; ilustrações N. A. Reis. - 9.ed. - Rio de Janeiro : Ática, 2000.
   216p. : il. ; (Eu Leio)

Tradução de: The prince and the pauper
ISBN 978-85-08-04716-1

1. Ficção americana. I. Grenbecki, Maria Helena. II. Reis, N. A., 1937- III. Título. IV. Série.

11-1415.   CDD: 813
                                               CDU: 821.111(73)-3

ISBN 978 85 08 04716-1
CAE: 232251   IS: 248644

2013
9ª edição
15ª impressão
Impressão e acabamento: Gráfica Paym

Todos os direitos reservados pela Editora Ática
Av. Otaviano Alves de Lima, 4400 – CEP 02909-900 – São Paulo, SP
Atendimento ao cliente: 4003-3061 – atendimento@atica.com.br
www.atica.com.br

IMPORTANTE: Ao comprar um livro, você remunera e reconhece o trabalho do autor e o de muitos outros profissionais envolvidos na produção editorial e na comercialização das obras: editores, revisores, diagramadores, ilustradores, gráficos, divulgadores, distribuidores, livreiros, entre outros. Ajude-nos a combater a cópia ilegal! Ela gera desemprego, prejudica a difusão da cultura e encarece os livros que você compra.

MARK TWAIN
O riso que belisca

Geraldo Galvão Ferraz

*A*té hoje contam histórias sobre Mark Twain nas margens do rio Mississipi. A marca do homem foi enorme, e sua fama de escritor e de contador de histórias (umas vividas por ele, outras francamente inventadas) continuou depois da sua morte, a 21 de abril de 1910.

Twain, na verdade, se chamava Samuel Langhorne Clemens e seu pseudônimo, segundo a maioria dos biógrafos, veio da exclamação dos barqueiros do Mississipi sobre a profundidade da água do rio. "Mark Twain" seria, então, a marca de duas braças. Porém outros acreditam que o pseudônimo veio da linguagem dos bares, quando um freguês pedia para "pendurar" mais duas bebidas na sua conta.

O futuro escritor só foi aos quatro anos para a cidadezinha de Hannibal, no estado americano do Missouri, mas ela é a sede do culto a Twain, onde

tudo lembra seu nome e suas obras. Nasceu mesmo a trinta de novembro de 1835, num lugarejo menor ainda, chamado Flórida, também no Missouri. Num dia em que o céu apresentava o show pirotécnico do cometa Halley, que curiosamente estava visível também quando ele morreu.

Parece que o astro errante teve alguma influência sobre a vida de Twain, ao menos em parte dela, quando ele não conseguia *parar em lugar nenhum, em emprego algum. Aos doze anos, perdeu o pai, um homem romântico e jovial, só que incapaz de ganhar dinheiro. Largou os estudos e foi trabalhar numa tipografia; depois se tornou barqueiro no seu amado rio, foi garimpar ouro em Nevada e, enfim, foi para Nova York como jornalista, após viajar muito. Então, precisando assinar um artigo com pseudônimo, surgiu Mark Twain.*

Aos trinta anos, fez muito sucesso com seu primeiro conto, "A célebre rã saltadora do Condado de Calaveras". O primeiro livro foi uma coletânea de relatos sobre a vida no Mississípi, Forty-three days in an open boat. *Em 1869, outro êxito, o livro de viagens* Innocents abroad. *A obra pegou, pois era uma espécie de vingança divertida do americano médio contra o esnobismo cultural do*

Uma das barcas a vapor que percorriam o Mississípi. Aos doze anos, o menino Samuel Clemens saiu de casa e foi trabalhar no grande rio. Pelo resto da vida, ele lembraria essa experiência com humor e carinho

Velho Mundo. Twain ousava dizer, por exemplo, que estava cansado de tanto ver catedrais góticas, umas iguais às outras; que os lagos do norte da Itália perdiam em beleza para o lago Tahoe, no Oeste americano. Ficou famoso um de seus comentários: "Com os preços que os barqueiros da Galileia cobram,

não me surpreende que Jesus tenha preferido andar sobre as águas".

"O Rei"

Twain tornou-se o mais querido humorista da América, com livros que vendiam até duzentos mil exemplares, graças a um bem-sucedido sistema de assinaturas, quando o comum para um autor de prestígio como Henry James era vender dois mil. Era tanto o êxito que ele brincava: "Escrevi durante quinze anos até descobrir que não tinha talento, mas aí era tarde demais para mudar, já tinha ficado famoso". Irreverente, escudando-se no humor para escrever o que outros não ousavam, Twain divertia os Estados Unidos com suas histórias e frases, forçando o sotaque caipira, a aparência exótica de bigodão ruivo e cabelos revoltos, além da roupa pouco convencional. Quando, por exemplo, um fã lhe mandou o retrato, dizendo que todos o achavam parecido com o escritor, Twain respondeu: "Realmente, o senhor se parece tanto comigo que vou aproveitar seu retrato como espelho, na próxima vez em que fizer a barba".

Rico com seus livros e conferências populares, Mark Twain resolveu ajeitar-se na vida. Escolheu como mulher Olivia L. Langdon, filha de um milionário comerciante de carvão de Elmira, perto de Nova York. O casal ganhou do sogro uma enorme casa de 25 mil dólares, carruagem e cocheiro, além de dinheiro para começar a vida em comum. Twain dobrou o dinheiro e, amando loucamente a mulher, que chamava de Livy ou de Liv, teve com ela três filhas; era considerado um homem extremamente feliz com seu

Cenas de Hannibal, no Missouri, uma cidade turística que vive do fato de Mark Twain ter passado a infância ali. Ninguém perde a oportunidade de fotografar-se como Tom Sawyer, e o nome e a obra do escritor são aproveitados até para vender frango frito

talento e sua vida pessoal. Era amigo de todos os milionários nova-iorquinos, que o apelidaram de "o Rei". Quando ia viajar, parava o trânsito nas cidades que visitava, como aconteceu em Londres e em Viena. Contudo, segundo o testemunho do amigo e escritor Upton Sinclair, quanto mais famoso mais Twain se sentia infeliz. Livy, por quem ele se apaixonara ao ver o retrato dela nas mãos do irmão, resolveu regenerar o marido — a quem dera o apelido "Juventude" —, que fumava desde os oito anos, bebia muito, jogava cartas e tinha uma linguagem cheia de expressões pouco delicadas. Twain obedecia, mas escreveu a um amigo: "Depois que casei, ela editou tudo o que escrevi. E ainda mais: não editou só minhas obras — ela me editou!" Mas concluiu: "Eu deixaria de usar meias, se ela achasse isso imoral".

Enquanto isso, Twain publicava o romance The gilded age *(1873), um painel de crítica* ao materialismo e à corrupção do pós-Guerra Civil, com alguns elementos autobiográficos da meninice no Missouri. Talvez tenha sido exatamente o que o levou a escrever seu livro seguinte, o clássico As aventuras de Tom Sawyer *(1876)*, que ele moldou segundo a vida de amiguinhos e colegas de infância. Uma dessas virou Becky Sharp, a menina por quem Tom se apaixona e que fica presa numa caverna. Tom Sawyer *fez Twain, que estava querendo mudar sua imagem de humorista para a de escritor "sério", abrir os olhos para a possibilidade de empregar a visão infantil das coisas, em lugar do humor rude e às vezes grosseiro que usava.*

A tramp abroad (1880) e Life on the Mississipi *(1883) continuam a linha regional, mas em* O príncipe e o mendigo *(1882) ele usa a vertente infantil, numa novela histórica cuja primeira meta era satirizar os costumes e instituições ingleses, mas que, ao ser mostrada a Olivia, transformou-se numa aventura de primeira para jovens, retirando-se da narrativa qualquer tom mais mordaz. Contudo, Twain estava disposto a criar um mundo infantil diferente do que relembrara em* Tom Sawyer. *Seu herói já existia e aparecera balançando um gato morto:* Huckleberry Finn, *moldado inicialmente num garoto que morava em Hannibal chamado Tom Blankenship.*

As aventuras de Huckleberry Finn *é de 1885, sendo considerada a obra-prima*

do escritor. O livro foi recebido com reservas: bibliotecas acharam-no irreverente e até imoral, críticos censuravam o desleixo de sua construção (não tinha um enredo convencional, sendo mais uma reunião de histórias cujos elos de ligação eram o garoto Huck e o rio Mississípi). O próprio autor não gostava muito da obra e chegou a pensar em queimar o manuscrito, achando que outro original seu, o hoje desconhecido Joan of Arc, era muito superior. Porém, aos poucos, As aventuras de Huckleberry Finn *deixou de ser meramente um livro para crianças* franceses que cultivaram tal tipo de personagem. O crítico Lionel Trilling resumiu tudo, ao chamar Huck de um livro subversivo,

A capital sulista no final da Guerra Civil. Ao preço de enorme destruição, o conflito mudou bastante a sociedade americana, e Twain retratou em várias obras essa transformação

e, quando um prefácio do poeta americano T. S. Eliot para uma edição inglesa chamou-o de obra-prima, a reavaliação do livro foi instantânea. Ernest Hemingway chegou a dizer que ele era "o ponto de partida da moderna literatura americana". Alguns estudiosos colocam-no como primeiro herói do absurdo, muitas décadas antes dos existencialistas

porque ninguém, depois de o ler, consegue ver da mesma maneira "a respeitabilidade do sistema americano".

Depois desse livro, Mark Twain se sentiu esgotado na sua temática infantil e do Mississipi. Ao ler uma obra sobre o rei Artur e a Távola Redonda, concebeu uma fantasiosa história — um livro de ficção científica, na verdade — em que um homem prático do século XIX viaja no tempo para a época arturiana e tenta mudar a civilização segundo o molde dos Estados Unidos modernos. Embora Twain tenha se referido a seu livro Um ianque na corte do rei Artur como seu "canto de cisne", a obra é um triunfo, atual até hoje, sempre com um fio de sátira entremeando uma ação criativa e divertida.

Um problema: não ser levado a sério

O escritor estava cansado. O humor se transformara num pessimismo venenoso, a memória tornara-se apenas um escape momentâneo. Mark Twain limitou-se a escrever para ganhar dinheiro. Trabalhava muito, mas

Tal como o São Francisco no Brasil, o Mississípi era (e é) um rio de integração nacional. No tempo de Twain, muitos viviam literalmente em suas águas, como mostra a ilustração. Era uma existência dura — mas perfeita, na opinião dos "piratas" Tom Sawyer e Huckleberry Fin *sem a mesma impetuosidade alegre de antes. Seu estado de espírito revelava-se em frases do tipo: "O homem é o único animal que enrubesce. E é o único que tem motivo para isso". O homem que fazia a América rir voltava-se para a amargura: "A melhor herança que Adão deixou para a raça humana foi a morte".*

A morte levou-lhe em 1904 a querida Livy, que amou durante quarenta anos. Cuidava dela — uma semi-inválida por causa de um tombo no gelo quando jovem — e a obedecia em tudo; quando ela morreu, Twain mergulhou na melancolia e nunca mais olhou para outra mulher, embora sua secretária, Isabel Lyon, bem tivesse tentado fisgar o viúvo. Mas a língua afiada dele não perdoou: "Eu preferiria uma boneca de cera". De qualquer forma, esse apaixonado pelo casamento escreveu que "nenhum homem ou mulher conhece o significado do amor perfeito até estar casado há um quarto de século".

O melhor dos livros de Twain nos últimos anos de sua vida foi o romance (publicado postumamente) **The mysterious stranger** *(1916). Tinha algo do espírito nostálgico de seus livros sobre meninos rebeldes e aventureiros; seus protagonistas eram três garotos da Áustria medieval que são visitados por um anjo chamado Satã, o qual lhes conta que os seres vivos são joguete de seu criador, que o senso moral torna o homem inferior aos animais e que tudo isso, e a própria vida, não passa de ilusão do espírito. O tema cínico não impede que o tom seja terno, e a obra mostra Mark Twain como um idealista desalentado.*

Muito pouco para o espírito indomável que, em outros tempos, atravessara o Panamá a cavalo, anunciando-se ao chegar em Nova York como "o louco humorista da cavalgada do Pacífico". Condicionado pelo amor a ser domado pela mulher e pelas filhas puritanas, que tiravam dos seus manuscritos o que achavam inconveniente, além de obrigado a ajustar seu talento ao gosto do público pagante, Mark Twain viveu o paradoxo do humorista que, enjoado do riso, quer ser levado a sério.

Uma de suas histórias é bem representativa. Contou Twain que, certa vez, foi convidado para falar numa grande universidade feminina. Um amigo sugeriu-lhe que lesse um poema que acabara de escrever, um texto absolutamente sério. O escritor começou: "Agora, senhoras, vou recitar um poema que escrevi".

O príncipe de Gales, futuro Eduardo VI Tudor, que reinaria de 1547 a 1553. Twain o escolheu como herói de O príncipe e o mendigo, um de seus maiores sucessos

Twain e seu amigo John Lewis. Anos antes dessa foto, Lewis resgatou três parentes do escritor de uma carruagem desgovernada, "salvando aquelas vidas", escreveu Twain, "no feito mais maravilhoso de que me recordo"

O que foi acolhido com estrepitosas risadas. "Mas trata-se de uma obra séria", repetiu, e só conseguiu que os risos aumentassem. "Atrapalhado por essa incompreensão, guardei o poema no bolso e declarei: 'Muito bem, senhoras, já que não me julgam capaz de escrever nada sério, não vou ler o poema', palavras que provocaram no auditório verdadeiras explosões de gargalhadas."

Certamente, na ocasião, ele se esqueceu de outra frase sua, que tem tudo a ver com sua vida e obra e poderia lhe servir de consolo: "O humor é a chave dos corações dos homens, porque brota do coração".

SUMÁRIO

- **MARK TWAIN**
  O riso que belisca

Prefácio / **19**
I ■ O nascimento do príncipe e do mendigo / **21**
II ■ A infância de Tom / **22**
III ■ O encontro de Tom com o príncipe / **26**
IV ■ Começam os problemas do príncipe / **33**
V ■ Tom nobre / **37**
VI ■ Tom recebe instruções / **44**
VII ■ O primeiro jantar régio de Tom / **50**
VIII ■ O caso do sinete / **54**
IX ■ O cortejo cívico pelo rio / **57**
X ■ O príncipe se mata de trabalhar / **60**
XI ■ Na prefeitura / **67**
XII ■ O príncipe e seu libertador / **73**
XIII ■ O desaparecimento do príncipe / **84**
XIV ■ "Le roi est mort — vive le roi" / **88**
XV ■ Tom rei / **98**
XVI ■ O jantar de gala / **109**
XVII ■ Fu-Fu I / **112**
XVIII ■ O príncipe e os vagabundos / **122**
XIX ■ O príncipe e os camponeses / **129**
XX ■ O príncipe e o eremita / **134**
XXI ■ Hendon sai em socorro / **140**
XXII ■ Uma vítima da traição / **145**
XXIII ■ O príncipe prisioneiro / **150**
XXIV ■ A fuga / **154**
XXV ■ A casa Hendon / **157**
XXVI ■ A renúncia / **164**
XXVII ■ Na prisão / **168**
XXVIII ■ O sacrifício / **178**
XXIX ■ Para Londres / **182**
XXX ■ O progresso de Tom / **184**
XXXI ■ O cortejo de reconhecimento / **187**
XXXII ■ O dia da coroação / **193**
XXXIII ■ O rei Eduardo / **204**
Conclusão: Justiça e retribuição / **211**
Nota geral / **215**

O PRÍNCIPE E O MENDIGO

Males do sucesso: Mark Twain tinha tanta certeza de que sua fama de humorista não deixaria ninguém levá-lo a sério, que pensou em publicar *O príncipe e o mendigo* com um pseudônimo ou anonimamente. Depois, pensando melhor, resolveu assinar o romance, que acabou tornando-se uma de suas obras mais apreciadas pelo público e pelos críticos da época.

Twain escreveu *O príncipe e o mendigo* em 1881. Já era o famoso escritor que, aos 45 anos, tinha em seu currículo títulos como *As aventuras de Tom Sawyer*, romance, e *A tramp abroad*, memórias humorísticas de suas andanças pelo mundo. Alguns de seus biógrafos insinuam que escreveu o livro para ganhar dinheiro, aproveitando a mania de nobreza inglesa que havia na sociedade americana de então. Pode ser, mas decerto entrou em seus planos a vontade de escrever algo que fosse sério e familiar (afinal, ele era também conhecido como autor de histórias abertamente pornográficas) e mostrasse o seu refinamento e sua cultura aos críticos. E, tratando-se de Twain, é de considerar também que ele pensou em fazer algo que agradasse a sua família — especialmente à querida filha Susie.

O príncipe e o mendigo acertou em cheio. Saiu a tempo do Natal de 1881 e foi sucesso de crítica e de público. A autora de *A cabana do Pai Tomás*, Harriet Beecher Stowe, por exemplo, achava que era o melhor livro já escrito para crianças. Susie proclamou ser aquela a melhor obra do pai. Twain caprichara: o livro tem todas as características de uma aventura dramática que agarra o leitor até o final empolgante. A história focaliza dois meninos idênticos que trocam de roupa e de vida, um, Edward Tudor, passando de príncipe de Gales à pobreza mais completa, e o outro, Tom Canty, descobrindo que esperam dele, um garoto miserável, decisões que envolvem milhares de vidas. Ao morrer o rei Henrique VIII, a situação dos dois meninos poderá tornar-se imutável.

Contada com a habitual fluência por Twain, a narrativa tem uma fantástica embalagem de detalhes da época, o século XVI, com a mestria do escritor em selecionar aspectos daquela época que refletem situações ou circunstâncias de seu próprio tempo. Twain até escreve que a narrativa "pode fazer parte da História ou pode ser só uma lenda, uma tradição. Pode ter acontecido ou pode não ter acontecido; mas *poderia* ter acontecido".

Há outros livros mais famosos na obra de Twain, como *Tom Sawyer* ou *As aventuras de Huckleberry Finn*, mas este tem algo que os outros não têm: o empenho do autor em contar gostosamente uma história que misture drama e ação, de olho no prazer do leitor. E isto *O príncipe e o mendigo* conseguiu, tanto em 1881 quanto hoje.

G. G. F.

O PRÍNCIPE E O MENDIGO

A

Susie e Clara Clemens,
crianças gentis e bem-educadas,
este livro
é afetuosamente oferecido
por seu pai

PREFÁCIO

Vou contar uma história tal qual me foi contada por alguém que a ouviu de seu pai, que, por sua vez, a ouviu de *seu* pai, que a ouviu de *seu* pai, e assim por diante, cada vez mais para trás, trezentos anos ou mais — com os pais transmitindo-a aos filhos e, assim, preservando-a. Ela pode fazer parte da História ou pode ser só uma lenda, uma tradição. Pode ter acontecido ou pode não ter acontecido; mas *poderia* ter acontecido. Pode ser que nos velhos tempos os sábios e os estudiosos cressem nela; pode ser que só os simples e os ignorantes acreditassem nela e a apreciassem.

A clemência...
  é uma virtude duplamente abençoada;
Abençoa aquele que dá e aquele que recebe;
É a mais poderosa entre as poderosas: ela torna
O monarca coroado melhor que a sua coroa.

Mercador de Veneza

I

O nascimento do príncipe e do mendigo

Na antiga cidade de Londres, em certo dia de outono, na segunda metade do século XVI, nascia um menino de uma família pobre, de sobrenome Canty, que não o queria. No mesmo dia, nascia uma outra criança inglesa, de uma família rica, de sobrenome Tudor, que o queria. Todos os ingleses também o desejavam. A Inglaterra tanto almejara, ansiara e clamara a Deus por ele que, agora que ele tinha realmente chegado, o povo quase delirava de alegria. Simples conhecidos abraçavam-se, beijavam-se e choravam. Todo mundo parou de trabalhar e nobres e plebeus, ricos e pobres, festejaram, e dançaram, e cantaram, e se regozijaram; assim se passaram muitos dias e noites. Durante o dia, Londres era uma beleza de ver, com vistosas bandeiras agitando-se em cada sacada, em cada telhado, e grandiosos cortejos avançando pelas ruas. De noite, era também uma beleza de ver, com grandes fogueiras em cada esquina e grupos de foliões divertindo-se em torno delas. Em toda a Inglaterra só se falava do novo bebê, Edward Tudor, príncipe de Gales, que dormia envolto em sedas e cetins, alheio a toda aquela agitação, sem saber que grandes senhores e damas estavam cuidando e velando por ele... e também sem se importar com isso. Mas sobre o outro bebê, Tom Canty, embrulhado em pobres trapos, nada se falava, a não ser naquela família de mendigos que ele viera perturbar com sua presença.

II

A infância de Tom

Vamos pular alguns anos.

Londres tinha 1500 anos e era uma cidade grande... para aqueles tempos. Contava 100 000 habitantes — alguns calculam o dobro. As ruas eram muito estreitas, irregulares e sujas, principalmente na parte onde Tom Canty vivia, não muito longe da Ponte de Londres. As casas eram de madeira, com o segundo andar projetando-se sobre o primeiro e o terceiro transpassando o segundo. Quanto mais as casas se espigavam, mais amplas ficavam. Eram esqueletos de sólidas vigas cruzadas, com as paredes intermediárias cobertas de argamassa. As vigas eram pintadas de vermelho ou azul ou preto, de acordo com o gosto do dono, o que dava às casas um aspecto muito pitoresco. As janelas eram pequenas, com vidraças, em forma de losangos, e abriam-se para fora, como se fossem portas.

A casa onde morava o pai de Tom ficava numa ruela imunda chamada Offal Court, travessa da Pudding Lane. Embora fosse pequena e estivesse caindo aos pedaços, estava abarrotada de famílias miseráveis. A corja dos Canty ocupava um cômodo no terceiro andar. O pai e a mãe tinham uma espécie de colchão num canto; mas Tom, sua avó e suas duas irmãs, Bet e Nan, podiam ficar onde quisessem... o chão era todo deles e podiam dormir onde lhes conviesse. Havia uns trapos de cobertor e algumas esteiras de palha, velhas e sujas, que não podiam ser chamadas propriamente de camas, porque não ficavam arrumadas; eram largadas numa pilha de manhã e catadas à noite.

Bet e Nan — gêmeas — tinham quinze anos. Eram meninas de bom coração, sujas, andrajosas e profundamente ignorantes. A mãe era como elas. Mas o pai e a avó eram uma dupla de demônios. Embriagavam-se sempre que podiam; então, brigavam entre si ou com qualquer um que lhes aparecesse pela frente; bêbados ou sóbrios, estavam sempre xingando e blasfemando; John Canty era ladrão, e a mãe dele mendiga.

Obrigavam as crianças a mendigar, mas não conseguiam fazê-las roubar. No meio daquela gentalha horrível que morava na casa, mas sem ter nada que ver com eles, havia um velho e bom padre, que o rei despejara com uma pensão de uns poucos vinténs e que costumava reunir as crianças para ensinar-lhes secretamente o caminho do bem. Padre Andrew ensinou Tom a ler e escrever e também um pouco de latim, e teria feito o mesmo com as meninas, mas elas temiam a gozação das amigas, as quais não iam aturar que elas soubessem aquelas esquisitices.

Toda a Offal Court era um cortiço igual à casa dos Canty. A bebedeira, o tumulto e as brigas eram a rotina de toda noite e quase a noite inteira. Naquele lugar, cabeças quebradas eram tão comuns quanto a fome. Mesmo assim, o pequeno Tom não era infeliz. Levava uma vida difícil, mas não sabia disso. Era o tipo de vida que cabia a todos os meninos da Offal Court; portanto, ele achava que isso era comum e natural. À noite, quando voltava para casa de mãos vazias, sabia que seu pai ia, antes de mais nada, xingá-lo e espancá-lo, e, depois que tivesse terminado, a malvada avó começaria tudo outra vez, aperfeiçoando o castigo, e que, no meio da noite, às escondidas, sua faminta mãe ia lhe dar alguma migalha miserável que tinha conseguido guardar para ele, ficando ela mesma morta de fome, apesar de ser muitas vezes flagrada nesse tipo de traição e duramente surrada pelo marido.

Não, a vida de Tom corria bastante bem, principalmente no verão. Ele mendigava só o suficiente para se safar, pois as leis contra a mendicância eram severas e as penas, pesadas; e assim passava boa parte do tempo ouvindo o bom padre Andrew contar fascinantes velhas histórias sobre gigantes e fadas, anões e gênios, castelos encantados e reis e príncipes deslumbrantes. Sua imaginação se enriquecia com essas coisas maravilhosas e, muitas noites, na escuridão, estirado em sua repugnante esteira, cansado, esfomeado e moído por causa das surras, ele soltava a imaginação e logo esquecia as dores e os sofrimentos, sonhando com a vida sedutora de um príncipe encantado num palácio real. Um desejo acabou por ocupar seus dias e noites: queria porque queria ver com os próprios olhos um príncipe de verdade. Chegou a falar disso com alguns dos amigos da Offal Court, mas eles caçoaram tanto, zombaram tanto, que depois disso Tom resolveu guardar o sonho só para si.

Lia sempre os velhos livros do padre, e fazia-o explicar e esticar as histórias. Os sonhos e as leituras logo provocaram algumas mudanças nele. As personagens dos seus sonhos eram tão elegantes que ele começou a lastimar as roupas surradas e a sujeira; passou a querer ser limpo e vestir-se melhor. Continuou a brincar no barro e a gostar disso; mas, em vez de patinhar no Tâmisa só por prazer, começou a ver nisso uma vantagem a mais, por causa do banho e da limpeza.

Tom sempre topava com alguma coisa acontecendo ali por Maypole, em Cheapside e nas feiras; e, vez ou outra, ele e o resto de Londres tinham a chance de assistir a uma parada militar, quando, por terra ou de barco, algum nobre em desgraça era levado prisioneiro para a Torre. Num dia de verão, viu a pobre Anne Askew e três homens serem queimados na fogueira, em Smithfield, e ouviu um ex-bispo pregar um sermão, que não achou lá muito interessante. Sim, a vida de Tom era, em geral, bem variada e agradável.

Em breve, as leituras e os sonhos de uma vida principesca tiveram um efeito tão forte sobre Tom, que ele, inconsciente, começou a *agir* como um príncipe. Seus gestos, sua maneira de falar foram se tornando curiosamente cerimoniosos e corteses, para grande admiração e divertimento dos mais íntimos. Mas a influência de Tom entre os garotos começou a crescer dia a dia e, em certo momento, passou a ser admirado por eles, com uma espécie de temor abismado, como um ser superior. Ele parecia tão sábio! E dizia e fazia coisas tão maravilhosas! Além disso, era tão profundo e sábio! O que Tom dizia e fazia, os garotos contavam aos pais, e os mais velhos também começaram a falar dele e a vê-lo como uma criatura superdotada e extraordinária. Os adultos submetiam seus problemas a Tom e sempre se surpreendiam com a sagacidade e a sabedoria de suas decisões. De fato, ele tinha virado um herói para todos os que o conheciam, menos para sua própria família... só ela não via nada nele.

Algum tempo depois, Tom organizou sua própria corte! Ele era o príncipe; seus melhores amigos eram guardas, camareiros, cavalariços, lordes e damas de companhia e a família real. Todo dia, o príncipe de mentira era recebido com pomposos cerimoniais, que Tom tirava de suas leituras romanescas; todo dia, os grandes assuntos do reino do faz de conta eram discutidos no conselho real; e, todo dia, sua alteza de mentira baixava decretos para seus exércitos, suas esquadras e seus vice-reinados imaginários.

Depois, lá ia ele com os seus trapos, mendigando uns vinténs, comendo umas migalhas, sofrendo os habituais bofetões e insultos, e deitando-se depois na esteira de palha, e retomando em sonho suas grandezas vazias.

Cada vez mais, o desejo de ver, nem que fosse por uma só vez, um príncipe de verdade, de carne e osso, crescia dentro dele, dia a dia, semana a semana, até que, por fim, absorveu todos os outros desejos e tornou-se a única paixão da sua vida.

Num dia de janeiro, em sua rotina de mendigo, perambulava desolado pela região de Mincing Lane e Little East Cheap, hora após hora, descalço e gelado, olhando as vitrines das cantinas e cobiçando as portentosas tortas de porco e outras descomunais invenções expostas ali; porque, para ele, eram iguarias feitas para os anjos; sim, a julgar pelo cheiro, eram isso mesmo, já que nunca tivera a sorte de poder comer uma daquelas. Caía uma garoa gelada; a atmosfera era sombria, e o dia, melancólico. À noite, Tom chegou em casa tão encharcado, cansado e faminto que foi impossível ao pai e à avó não notar seu desamparo e não se comover... à sua maneira; por isso, deram-lhe logo um tabefe rápido e o despacharam para a cama. Por um longo tempo, a dor, a fome, os palavrões e as brigas no prédio o mantiveram acordado; mas, finalmente, seus pensamentos voaram para românticas terras distantes, e ele adormeceu na companhia de principezinhos enfeitados e cheios de joias, que viviam em grandes palácios, com criados fazendo-lhes salamaleques ou disputando entre si para ver quem executaria suas ordens. Depois, como de hábito, sonhou que *ele* era também um principezinho.

Durante a noite inteira, as glórias de seu reino brilharam sobre ele: caminhava esplendorosamente entre lordes e ladies, aspirando perfumes, bebendo uma música deliciosa e respondendo às reverentes mesuras da pomposa multidão, que se afastava para abrir-lhe caminho, com um sorriso aqui e uma inclinação de sua principesca cabeça mais adiante.

Quando acordou de manhã e olhou para a miséria ao seu redor, o sonho teve o efeito habitual; a sordidez ficara mil vezes pior. Veio então a amargura, a desolação, as lágrimas.

III

O encontro de Tom com o príncipe

Tom levantou-se com fome e foi para a rua, mas com os pensamentos entretidos com os falsos esplendores dos seus sonhos noturnos. Vagou aqui e ali pela cidade, quase sem perceber para onde estava indo ou o que estava acontecendo à sua volta. As pessoas esbarravam nele e algumas xingavam; mas nada afetava o menino pensativo. De repente, ele estava em Temple Bar; nunca tinha ido tão longe de casa naquela direção. Parou e pensou um pouco, depois começou a sonhar novamente e atravessou as muralhas de Londres. Ali, o Strand não era mais uma estradinha campestre e já se considerava uma rua de verdade, mas isso era um tanto forçado; pois apesar de haver uma fileira de casas bastante compacta de um lado, do outro só havia alguns grandes edifícios isolados, que eram palácios de nobres ricos, com amplos e lindos jardins descendo até o rio… jardins que hoje estão amontoados com sombrias construções de pedra e tijolo.

Tom descobriu Charing Village e descansou no belo cruzeiro ali construído, em tempos remotos, por um rei destronado; depois desceu uma rua tranquila, agradável, passando pelo grande e imponente palácio do cardeal, em direção a um palácio muito maior e majestoso, mais adiante… o Westminster. Tom arregalou os olhos, admirando maravilhado a enorme construção, as amplas alas, os severos baluartes e torreões, o imenso pórtico de pedra, com as grades douradas e a magnífica guarnição de colossais leões de granito e os outros signos e símbolos da realeza inglesa. Será que o desejo do seu coração ia afinal se realizar? Ali estava, de fato, um palácio real. Será que ele não podia ter a esperança de ver um príncipe agora, um príncipe de carne e osso, se o céu permitisse?

De cada lado do portão dourado ficava uma estátua viva, quer dizer, um guarda ereto, imponente, imóvel, vestido da cabeça aos pés com uma brilhante armadura de aço. A uma distância respeitosa, havia muitos camponeses e pessoas da cidade esperando qualquer possível aparição da realeza. Carruagens esplêndidas, com esplêndidas pessoas dentro delas e esplêndidos criados do lado de fora, chegavam e partiam por vários outros nobres portões que se abriam no régio muro.

O pobre e esfarrapado Tom se aproximou e foi passando, devagar e timidamente, pelas sentinelas, com o coração aos saltos e uma esperança crescente, quando, de repente, deparou, através das grades douradas, com um espetáculo que quase o fez gritar de alegria. Lá estava um gracioso menino, bronzeado pelos esportes e pelos exercícios ao ar livre, cuja roupa era toda de belas sedas e cetins, cintilante de joias — na cintura, uma pequena espada e um punhal cheios de pedras preciosas... sapatos requintados nos pés, com saltos vermelhos, e, na cabeça, uma elegante boina carmim, com plumas penduradas, presas com uma grande joia faiscante. Vários cavalheiros elegantes à sua volta — seus criados, sem dúvida. Oh! Era um príncipe... um príncipe, um príncipe vivo, um príncipe de verdade. Sem sombra de dúvida, finalmente a prece do coração do menino mendigo tinha sido atendida.

Tom ofegava de excitação, os olhos arregalados de assombro e prazer. Naquele mesmo instante, só um desejo lhe passava pela cabeça: chegar perto do príncipe e dar uma boa e devoradora olhada nele. Antes que se desse conta, estava com o rosto colado nas grades. Logo em seguida, um dos soldados o agarrou violentamente e o jogou rodopiando para cima da multidão embasbacada de camponeses palermas e vagabundos londrinos.

O soldado disse:

— Olhe os modos, mendigo!

A multidão riu e zombou, mas o jovem príncipe saltou para o portão, o rosto afogueado, os olhos faiscantes de indignação, e gritou:

— Como ousa tratar assim esse pobre rapaz?! Como ousa tratar assim o mais humilde servo do rei, meu pai?! Abra os portões e deixe-o entrar!

Vocês precisavam ver a multidão agitada arrancar os chapéus naquele momento. Precisavam ouvir como aplaudiam e gritavam:

— Viva o príncipe de Gales!

Os soldados apresentaram armas com suas alabardas, abriram os portões e apresentaram armas de novo, enquanto o pequeno Príncipe da

Pobreza entrava, com seus trapos ondulantes, para apertar as mãos do Príncipe da Opulência Ilimitada.

Edward Tudor disse:

— Você parece cansado e faminto: foi maltratado. Venha comigo.

Uma meia dúzia de criados se precipitou... nem sei por quê; para interferir, claro. Mas foram contidos com um preciso gesto do príncipe e ficaram tesos, como se fossem estátuas. Edward levou Tom para uma suntuosa dependência do palácio, que ele chamava de seu gabinete. À sua ordem, trouxeram uma refeição como Tom nunca vira antes, a não ser em livros. Edward, com delicadeza e educação principescas, despachou os criados, para que seu humilde convidado não se sentisse constrangido; depois, sentou-se perto dele e, enquanto Tom comia, lhe fez muitas perguntas.

— Como é seu nome, rapaz?

— Tom Canty, às suas ordens, meu senhor.

— É um nome estranho! Onde mora?

— Na cidade, sim, senhor. Offal Court, travessa de Pudding Lane.

— Offal Court! Realmente, é mais um nome estranho. Tem pais?

— Tenho, sim, senhor, e uma avó também, mas não ligo muito para ela... Deus me perdoe se é pecado dizer isso... e também duas irmãs gêmeas, Nan e Bet.

— Então sua avó não é muito boa para você, imagino.

— Nem para ninguém, alteza. Ela tem o coração perverso e pratica o mal todos os dias.

— Maltrata você?

— Tem vezes que ela fica com as mãos quietas, quando dorme ou quando cai de bebedeira; mas, quando volta a si, levanta a mão e me dá uns bons tabefes.

Um brilho feroz surgiu nos olhos do pequeno príncipe e ele gritou:

— O quê! Tabefes?

— Ah, é, de verdade, sim, senhor.

— *Tabefes*! Mas você é tão frágil e pequeno. Escute bem: antes do cair da noite ela será pendurada na Torre. O rei, meu pai...

— Na verdade, meu senhor, está se esquecendo da condição inferior dela. A Torre é só para gente importante.

— Tem razão, de fato. Não tinha pensado nisso. Vou pensar num castigo para ela. E seu pai, é bom para você?

— Não melhor que a Vó Canty, meu senhor.

— Os pais são parecidos, talvez. O meu não tem temperamento de boneca. Bate duro, mas não em mim; no entanto, ele nem sempre me poupa das palavras, verdade seja dita. Como sua mãe trata você?

— Ela é boa, sim, senhor, e não me dá nenhum sofrimento nem tristeza, de jeito nenhum. E a Nan e a Bet são como ela também.

— Quantos anos elas têm?

— Quinze, sim, senhor.

— *Lady* Elizabeth, minha irmã, tem catorze, e *lady* Jane Grey, minha prima, é da minha idade e ainda por cima é bonita e graciosa; mas minha irmã, *lady* Mary, com aquele ar melancólico e... Escute, suas irmãs proíbem as criadas de dar risada, para o pecado não destruir as almas delas?

— Elas? Ah, o senhor acha que *elas* têm criadas?

O pequeno príncipe olhou muito sério para o pequeno mendigo e disse:

— Por que não? Quem é que tira as roupas delas de noite? Quem é que as ajuda a se vestir, quando acordam?

— Ninguém, não, senhor. Acha que elas iam tirar a roupa e dormir sem nada... feito bichos?

— A roupa! Elas têm só uma?

— Ah, meu bom senhor, que é que elas iam fazer com mais de uma? Pois se elas só têm um corpo cada uma.

— É uma ideia estranha e maravilhosa! Me perdoe, não tinha intenção de rir. Mas a sua boa Nan e a sua Bet precisam ter roupas e criados — e logo; meu tesoureiro vai cuidar disso. Não, não me agradeça; não é nada. Você falou bem; tem uma graça simples. Você estuda?

— Não sei dizer se sim ou não, senhor. O bom padre Andrew me ensinou, ele é muito gentil, com os livros dele.

— Você sabe latim?

— Só um pouco, eu acho, meu senhor.

— Aprenda, rapaz; é difícil só no começo. O grego é mais difícil; mas acho que nenhuma dessas línguas, nem nenhuma outra, é difícil, nem para *lady* Elizabeth nem para minha prima. Precisa ver essas donzelas falando! Mas me conte sobre Offal Court. A vida lá é agradável?

— É, sim, senhor, a não ser quando bate a fome. Lá tem espetáculos de marionetes e macacos... ah, que bichos mais gozados e tão bem-vestidos!... e tem peças também, com os atores gritando e brigando até a morte, e é tão bom de ver e só custa um vintém, mas é bem difícil conseguir esse vintém, alteza.

— Conte mais.

— Nós, a garotada de Offal Court, a gente luta uns com os outros, com um pau, como os aprendizes fazem às vezes.

Os olhos do príncipe brilharam.

— Puxa, acho que eu ia gostar disso. Conte-me mais.

— A gente aposta corrida, senhor, para ver quem é o mais rápido.

— Disso eu também ia gostar. Continue.

— No verão, senhor, a gente entra e nada nos canais e no rio, e dá caldo, e joga água um no outro, e mergulha, e grita, e dá cambalhotas e…

— Eu daria o reino de meu pai para brincar assim pelo menos uma vez! Por favor, continue.

— A gente dança e canta em volta de Maypole, em Cheapside; brinca de um cobrir o outro de areia; e tem vezes que a gente faz torta de lama… ah, que delícia, a lama, não tem nada melhor no mundo!… a gente rola na lama, senhor, com perdão da sua ilustre presença.

— Oh, por favor, não diga mais nada; é glorioso! Se eu pudesse me vestir com uma roupa como a sua e ficar descalço e me divertir na lama uma vez na vida, só uma vez, sem ninguém para me censurar nem proibir, acho que podia até renunciar ao trono!

— E se eu pudesse me vestir uma vez, meu bom senhor, como o senhor está vestido, só uma vez…

— Hum, você gostaria? Então tá. Tire esses trapos e vista este luxo, rapaz! Será uma felicidade passageira, mas nem por isso menos intensa. Vamos aproveitar e trocar de roupa, antes que alguém venha nos incomodar.

Minutos depois, o pequeno príncipe de Gales estava enfeitado com os tremulantes trapos de Tom, e o pequeno Príncipe da Pobreza, adornado com as vistosas plumas da realeza. Foram ambos para a frente de um grande espelho e ficaram lado a lado e, oh! que milagre: parecia que não tinha havido troca nenhuma! Olharam um para o outro, depois para o espelho e depois um para o outro de novo. Finalmente, o príncipe disse perplexo:

— Que é que você me diz disso?

— Ah, meu bom príncipe, não me peça para responder. Não é permitido que uma pessoa de meu nível dê opiniões.

— Então eu digo. Você tem o mesmo cabelo, os mesmos olhos, a mesma voz e maneiras, a mesma forma e altura, o mesmo rosto e expressão que eu. Se ficássemos nus, ninguém poderia dizer qual de nós é o príncipe de Gales. E, agora que estou vestido como você, quase posso sentir o que você sentiu quando aquele soldado estúpido... Olhe, isso não é um machucado na sua mão?

— É, sim, mas não tem importância, e vossa alteza sabe que o pobre guarda...

— Psiu! Foi estúpido e humilhante! — gritou o pequeno príncipe, batendo o pé descalço. — Se o rei... Fique quieto até eu voltar! É uma ordem!

Num segundo, ele pegou e guardou uma peça de importância nacional que estava em cima da mesa e saiu pela porta, correndo pelo palácio com seus trapos esvoaçantes, o rosto afogueado e os olhos faiscantes. Tão logo chegou ao grande portão, agarrou as barras e tentou sacudi-las, gritando:

— Abram! Destranquem os portões!

O soldado que tinha maltratado Tom obedeceu prontamente; assim que o príncipe passou impetuosamente pelo portão, meio sufocado pela fúria real, o soldado acertou-lhe uma sonora bofetada no pé do ouvido, que o fez rodopiar até a rua, e disse:

— Tome isto, seu filhote de mendigo, pelo que você me aprontou na frente de sua alteza!

A multidão caiu na gargalhada. O príncipe levantou-se da lama e se atirou ferozmente sobre a sentinela, gritando:

— Eu sou o príncipe de Gales, minha pessoa é sagrada; e você será enforcado por botar as mãos em mim!

O soldado levantou a alabarda como se apresentasse armas e caçoou:

— Eu saúdo vossa alteza. — Depois, zangado: — Cai fora, seu monte de lixo!

Zombando, a multidão se aglomerou em volta do pobre príncipe, deu-lhe um empurrão enquanto vaiava e gritava:

— Abram caminho para a alteza real! Abram caminho para o príncipe de Gales!

IV

Começam os problemas do príncipe

Depois de horas de incansável perseguição, o pequeno príncipe foi finalmente abandonado pela multidão. Enquanto pôde enfrentá-la, ameaçá-la regiamente e dar-lhe ordens principescas, que serviam como ótimo pretexto para risadas, foi divertido; mas, quando o cansaço finalmente o forçou a se calar, os torturadores o descartaram e foram procurar diversão em outro lugar. Ele olhou em volta, mas não conseguiu reconhecer o local. Estava em Londres — era tudo o que sabia. Começou a andar sem rumo e, pouco depois, as casas foram escasseando, e os transeuntes, ficando mais raros. Lavou os pés ensanguentados num riacho que corria então onde está hoje a Farrington Street, descansou um pouco e depois continuou caminhando até chegar a uma região onde só havia uma monumental igreja, com algumas casas espalhadas em volta. Reconheceu o templo. Havia andaimes para tudo quanto era lado e um enxame de operários, porque o prédio estava passando por uma grande reforma. O príncipe se reanimou logo; sentiu que suas desventuras iam acabar agora, e disse com seus botões:

— É a antiga igreja de Grey Friars, que o rei, meu pai, tirou dos monges e doou às crianças pobres e abandonadas, rebatizando-a com o nome de Christ's Church. Eles vão acolher com justa alegria o filho daquele que foi tão generoso, ainda mais que este filho está tão pobre e tão desamparado como qualquer um que seja acolhido aqui, hoje e sempre.

Logo se juntou a uma porção de garotos que estavam correndo, pulando carniça, jogando bola e praticando esportes, numa enorme algazarra. Todos vestiam-se da mesma maneira, com o uniforme típico dos criados e aprendizes da época* — isso quer dizer que usavam, no topo da cabeça, uma boina chata e preta, do tamanho de um pires, que não servia de nenhuma proteção, devido a seu reduzido tamanho; tampouco servia de enfeite; por baixo dela, caía o cabelo, não repartido, até o meio da testa, tosado em volta de toda a cabeça; traziam uma fita clerical no pescoço; uma túnica azul bem justa, que batia até os joelhos, ou mais abaixo; mangas amplas; um largo cinto vermelho; meias da cor amarelo-brilhante, com ligas acima dos joelhos; sapatos baixos, com uma grande fivela de metal. Era uma roupa muito feia.

Os meninos pararam de brincar e se amontoaram em volta do príncipe, que disse, com dignidade natural:

— Rapazes, digam a seu mestre que Edward, o príncipe de Gales, deseja falar com ele.

Suas palavras provocaram grande alvoroço, e um menino disse grosseiramente:

— Arre! Você é mensageiro de sua alteza, mendigo?

O rosto do príncipe ficou vermelho de raiva, ele levou a mão rapidamente à cintura, mas ali não havia nada. Todos caíram na risada, e um dos meninos provocou:

— Viram isso? Ele achou que tinha uma espada… vai ver que é o príncipe em pessoa.

Essa observação fez os meninos rir ainda mais. O pobre Edward recompôs-se orgulhosamente e disse:

— Eu sou o príncipe, e fica muito mal você, que é mantido pela bondade do rei, meu pai, me maltratar desse jeito.

Isso foi muito divertido, como as risadas provaram. O garoto que tinha falado primeiro gritou para os companheiros:

— Oh, porcos, escravos, pensionistas do pai de sua alteza, cadê a educação de vocês? Ajoelhem-se, todos, e façam reverência ao porte e aos trapos da realeza!

Com espalhafatosa alegria, eles se ajoelharam e prestaram homenagem em tom de chacota à sua vítima. O príncipe deu um pontapé no menino que estava mais próximo e disse, furioso:

---

* **O uniforme do Christ's Hospital**. É muito razoável considerar que essa roupa foi copiada do vestuário londrino da época, quando as longas togas azuis eram uniforme comum dos aprendizes e criados, e as meias amarelas eram de uso generalizado. A túnica era justa no corpo, mas tinha mangas largas, e por baixo se usava um colete amarelo, sem mangas; um cinturão de couro vermelho, uma fita clerical no pescoço e uma pequena boina preta e chata, do tamanho de um pires, completavam o uniforme. *Curiosidades de Londres*, de Timb.

— Tome isso por enquanto, que eu vou mandar construir uma forca para você!

Ah, mas isso já não era brincadeira; estava passando dos limites. A risada parou na mesma hora, e a fúria tomou seu lugar. Vários meninos gritaram:

— Arrastem ele pra cá! Pro bebedouro dos cavalos, pro bebedouro dos cavalos! E os cachorros, cadê? Aqui, Leão! Vem cá, Dentão!

Aconteceu então uma coisa que a Inglaterra nunca vira antes: a pessoa sagrada do herdeiro do trono foi rudemente esbofeteada por mãos plebeias e atacada e estraçalhada por cães.

O entardecer daquele dia encontrou o príncipe muito longe, na parte mais populosa da cidade. Tinha o corpo machucado, as mãos ensanguentadas e os trapos enlameados. Foi se arrastando, se arrastando, cada vez mais desnorteado, tão cansado e abatido que só a muito custo conseguia dar um passo. Desistira de pedir informações a quem quer que fosse, pois em vez de orientação só recebia insultos. Continuava murmurando consigo mesmo:

— Offal Court... é esse o nome; se eu conseguir localizá-la antes de desfalecer completamente, então estarei salvo, pois a família dele vai me levar até o palácio e provar que não sou um deles, mas sim o verdadeiro príncipe, e assim recuperarei o que me pertence.

De vez em quando, lembrava-se de como fora brutalmente maltratado pelos meninos do Christ's Hospital e dizia:

— Quando eu for rei, eles não terão só pão e abrigo, mas também o ensinamento dos livros, porque uma barriga cheia não vale nada, se a mente e o coração estão famintos. Vou reter isso com cuidado na memória, para que essa lição não se perca, fazendo meu povo sofrer; o aprendizado suaviza o coração e desenvolve a delicadeza e a caridade*.

As luzes se acenderam, começou a chover, a ventar, e a noite desceu, fria e tempestuosa. Sem casa, sem abrigo, o herdeiro do trono da Inglaterra ainda perambulava, empurrado cada vez mais para o labirinto de sórdidas vielas, onde cortiços apinhados de pobreza e miséria se amontoavam.

De repente, um brutamontes caindo de bêbado o agarrou pelo colarinho e disse:

---

* Parece que o Christ's Hospital não foi fundado originalmente como escola. Sua finalidade era recolher as crianças das ruas, dando-lhes abrigo, comida, roupas, etc. — *Curiosidades de Londres*, de Timb.

— Na rua até essa hora, sem trazer um vintém pra casa, garanto! Se for verdade e eu não triturar todos os ossos desse seu corpinho, é que eu não me chamo John Canty.

O príncipe se desvencilhou, limpou inconscientemente os ombros profanados e disse ansioso:

— Oh, é o pai *dele*, verdade? Deus permita: assim você pode ir buscar seu filho e me reconduzir a meu lugar!

— Pai *dele*? Não sei do que tá falando; só sei que sou seu pai, como você logo vai ficar...

— Oh, não brinque, não finja, não demore! Estou exausto, machucado, não aguento mais. Me leve até o rei, meu pai, que ele vai fazer você ficar tão rico como nunca sonhou. Acredite em mim, acredite em mim! Não estou mentindo, estou dizendo a verdade! Me ajude! Eu sou de fato o príncipe de Gales!

O homem arregalou os olhos para o menino, estupefato, sacudiu a cabeça e murmurou:

— Tá ficando tão pirado quanto Tom o'Bedlam!

Depois, agarrou-o de novo, com uma risada tosca e uma ameaça nos lábios:

— Pirado ou não, eu e sua Vó Canty vamos descobrir já, já onde ficam seus ossos, ou eu não sou um homem de verdade!

Dizendo isso, arrastou o príncipe, que esperneava agitado, e desapareceu num pátio, seguido de um bando de parasitas humanos deliciados e barulhentos.

V

Tom nobre

Sozinho no gabinete do príncipe, Tom Canty aproveitou bem a oportunidade. Admirou o próprio requinte diante do imponente espelho, dando voltas de um lado para o outro; depois se afastou, imitando o porte aristocrático do príncipe, sempre observando os resultados no espelho. Logo em seguida, sacou da elegante espada e curvou-se, beijando a lâmina, que depôs sobre o peito, como tinha visto um nobre fazer, como saudação a um tenente da Torre, cinco ou seis semanas antes, ao entregar a ele os grandes senhores de Norfolk e Surrey, para que fossem presos. Tom brincou com o punhal incrustado de joias que trazia dependurado na cintura; examinou a decoração do quarto, cara e primorosa; sentou-se em cada uma das suntuosas cadeiras e imaginou o orgulho que sentiria se a gangue de Offal Court pudesse dar uma espiadela no quarto e vê-lo em todo o seu esplendor. Será que iam acreditar na incrível história que lhes contaria quando voltasse para casa, ou iam balançar a cabeça, achando que o excesso de imaginação lhe tinha finalmente afetado a razão?

Meia hora depois, assim de repente, lembrou-se de que fazia tempo que o príncipe saíra, e começou a se sentir sozinho; pôs-se a esperar e a escutar, e parou de se entreter com os magníficos objetos à sua volta; primeiro ficou preocupado, depois inquieto, por fim, atormentado. Já imaginou se alguém aparecesse e o flagrasse metido nas roupas do príncipe, sem que este estivesse ali para explicar?! Será que o enforcariam no ato e só depois procurariam saber o que tinha acontecido? Ouvira falar que os poderosos não perdiam tempo antes de resolver tais picuinhas. Seus temores só aumentaram, e, tremendo, ele abriu devagarinho a porta da antecâmara, resolvido a correr para achar o príncipe e, consequentemente, a proteção e a soltura. Seis garbosos cavalheiros e dois jovens pajens, trajados de forma bastante vistosa, puseram-se de pé e inclinaram-se para ele. Tom voltou depressinha, fechou a porta e disse:

— Estão gozando da minha cara! Vão contar tudo! Ah, maldita hora em que vim para cá!

Ficou andando para lá e para cá, cheio de pavores indescritíveis, com os ouvidos atentos, sobressaltando-se a qualquer ruído. Por fim, a porta abriu-se, e um pajem coberto de sedas anunciou:

— *Lady* Jane Grey.

A porta fechou-se, e uma mocinha adorável, ricamente vestida, foi saltitante ao encontro de Tom. Mas ela estacou de repente e perguntou, com voz angustiada:

— O que o senhor tem, milorde?

Tom mal conseguia respirar e gaguejou:

— Ah, tenha piedade de mim! Não sou nenhum lorde, mas apenas o pobre Tom Canty, da Offal Court, lá na cidade. Por favor me deixe ver o príncipe, e ele vai me devolver meus trapos e me deixar ir embora. Tenha pena de mim e me salve!

Nisto, o menino já se pusera de joelhos e suplicava não só com palavras, mas também com os olhos e os braços. A garota parecia horrorizada. Ela gritou:

— De joelhos, milorde?! E para mim?!

— Ela então fugiu aterrorizada; e Tom, desesperado, deixou-se abater, murmurando:

— Sem ajuda, sem esperança. Agora eles vêm e me levam.

Enquanto estava ali, paralisado pelo terror, um terrível boato foi se espalhando pelo palácio. Os cochichos, porque isso era sempre cochichado, voavam de criado para criado, de lorde para *lady*, pelos longos corredores, de um andar para o outro, de um salão para o outro:

— O príncipe ficou louco, o príncipe ficou louco!

Logo todos os salões e todos os vestíbulos de mármore passaram a abrigar grupos de nobres e de populares que conversavam animadamente aos cochichos, e em cada rosto havia preocupação. Foi então que um garboso oficial entrou marchando e proclamou solenemente:

— Em nome do rei! Que ninguém dê ouvidos a esse boato ridículo, sob pena de morte, nem o discuta nem o propague. Em nome do rei!

Os cochichos pararam tão repentinamente que parecia que os mexeriqueiros tinham perdido a voz.

Em seguida, ouviu-se um burburinho nos corredores:

— O príncipe! Vejam, o príncipe vem vindo!

O desventurado Tom vinha devagar; passou pelos grupos, que lhe faziam reverências, às quais ele tentava retribuir, e humildemente, com olhar aturdido e patético, contemplou aquele estranho ambiente. Os nobres o ladeavam, fazendo com que se apoiasse neles para se equilibrar. Atrás, vinham os médicos da corte e alguns criados.

Tom achou-se dentro de um majestoso aposento do palácio e ouviu a porta fechar-se atrás de si. A seu redor ficaram os que tinham entrado com ele. À sua frente, a certa distância, reclinado, um homenzarrão, de rosto enorme e inchado e expressão carrancuda. A cabeça, imensa, era toda grisalha; e a barba, que usava só em volta do rosto, como uma moldura, também era grisalha. A roupa, de fino tecido, estava surrada e ligeiramente puída aqui e ali. Um dos pés inchados, envolto em ataduras, repousava sobre uma almofada. Havia silêncio agora, e nenhuma cabeça estava erguida, exceto a daquele homem. O inválido de expressão de aço era o temível Henrique VIII. Ele disse — e seu rosto tornou-se suave quando começou a falar:

— Que é isso agora, meu pequeno Edward, meu príncipe? Está querendo enganar o bom rei, seu pai, que o ama e o trata com ternura, com uma brincadeira dessas?

Na medida em que seu perturbado espírito lhe permitiu, o infeliz garoto acompanhou bem o início dessa fala, mas quando as palavras "eu, o bom rei" chegaram-lhe aos ouvidos, Tom empalideceu e caiu bruscamente de joelhos, como se tivesse sido fulminado por um disparo. Ergueu as mãos e exclamou:

— O senhor é o *rei*? Então estou mesmo perdido!

A frase pareceu atordoar o rei. Seus olhos percorreram rosto após rosto, sem rumo, e depois se fixaram, surpresos, no menino à sua frente. Com profunda decepção disse, por fim:

— Ai de mim! Pensei que o boato fosse exagerado, mas temo que não.

Suspirou profundamente e disse com suavidade:

— Venha para o seu pai, filho. Você não está bem.

Ajudaram Tom a se levantar, e ele, submisso e vacilante, se aproximou de sua majestade da Inglaterra. O soberano tomou-lhe o amedrontado rosto entre as mãos e olhou para ele, atento e amoroso, durante algum tempo, como se procurasse algum bom indício da volta da razão; depois apertou a cabeça cacheada contra seu peito, afagou-a carinhosamente e perguntou:

— Você não reconhece seu pai, filho? Não parta este velho coração; diga que me reconhece. Você me reconhece, não é verdade?

— Sim, vossa mercê é meu temível senhor, o rei, que Deus o preserve!

— Certo, certo... muito bem... acalme-se, não trema assim; ninguém aqui vai machucá-lo; não há ninguém aqui que não o ame. Você está melhor agora; o pesadelo já passou, não é verdade? E agora você também se reconhece, não é? Não vai errar seu nome de novo, como disserem que fez, ainda há pouco?

— Eu imploro, majestade, que acredite em mim! eu só falei a verdade, meu mais temível senhor, porque sou o menor entre seus súditos, nasci mendigo e só por acidente, por acaso, é que estou aqui, mas não tenho culpa. Sou muito jovem para morrer, e vossa mercê pode me salvar com uma pequena palavra. Oh, diga, por favor, senhor!

— Morrer? Não fale assim, doce príncipe; paz, paz para o seu atribulado coração; você não vai morrer!

Tom caiu de joelhos, com um grito de alegria:

— Deus lhe pague pela sua misericórdia. Ah, meu rei, e que o proteja por muitos anos, para abençoar sua terra!

Levantou-se, encarou radiante os nobres ali presentes e exclamou:

— Vocês ouviram! Eu não vou morrer; o rei disse!

Ninguém se mexeu, a não ser para uma austera reverência, nem disse nada. Tom hesitou, um pouco confuso, virou-se timidamente para o rei, e perguntou:

— Posso ir agora?

— Ir? claro, se quiser. Mas por que não fica mais um pouco? aonde quer ir?

Tom, cabisbaixo, respondeu humildemente:

— Devo ter me enganado, porque pensei que estivesse mesmo livre e queria ir procurar o casebre onde nasci e cresci na miséria, mas onde ainda se abrigam minha mãe e minhas irmãs e que é, portanto, o meu lar; ao passo que essas pompas e esplendores, com que não estou acostumado... ai, por favor, meu senhor, me deixe ir embora!

O rei manteve-se calado e pensativo por um momento, mas seu semblante revelava angústia e inquietação crescentes. Em seguida disse, com alguma esperança:

— Talvez ele só esteja louco nesse aspecto, mas mantenha seu juízo perfeito quanto a outros assuntos. Deus permita que assim seja! Vamos fazer um teste.

Fez então a Tom uma pergunta em latim, e o garoto respondeu sofrivelmente na mesma língua. O monarca ficou encantado e o demonstrou, assim como os nobres e os médicos.

— Não está à altura dos seus conhecimentos e habilidades, mas indica que o cérebro só está pertubado, e não irremediavelmente afetado. O que lhe parece, doutor? — quis saber Henrique VIII.

O médico curvou-se em reverência e respondeu:

— Estou convencido de que vossa majestade concluiu corretamente.

O rei pareceu satisfeito com esse incentivo, vindo como veio de tão competente autoridade, e prosseguiu:

— Agora prestem atenção; vamos tentar mais um teste.

Fez uma pergunta em francês a Tom, que por um instante ficou em silêncio, embaraçado com tantos olhos cravados nele, e depois disse, tímido:

— Não conheço essa língua, por favor, majestade.

O rei recostou-se no divã. Os criados precipitaram-se para ajudá-lo, mas ele os afastou:

— Não amolem... não é nada, é um simples desfalecimento. Levantem-me! Aí já está bom. Aproxime-se, filho; assim... descanse sua agitada cabecinha sobre o coração do seu pai e fique sossegado. Você logo estará bom; é apenas um delírio. Acalme-se; você logo ficará bom.

Dirigiu-se então aos presentes; a delicadeza o abandonara, e seus olhos agora chispavam um brilho funesto.

— Ouçam todos! Meu filho está louco, mas não para sempre. A culpa é do excesso de estudo, e um pouco também por causa do confinamento. Chega de livros e de professores! Cuidem disso. Que ele se divirta com os esportes e se distraia com atividades saudáveis, até que se recupere.

Ergueu-se se um pouco mais e continuou, enérgico:

— Ele está louco, mas é meu filho e herdeiro do trono da Inglaterra, e louco ou são, vai reinar! Ouçam e proclamem ainda o seguinte: todo aquele que comentar esse fato estará trabalhando contra a paz e a ordem deste reino e será enforcado! Deem-me alguma coisa para beber... estou queimando: esse dissabor minou-me as forças. Tomem, levem o cálice. Apoiem-me aqui. Assim, isto... está bom. Louco, será? mesmo que estivesse no auge da loucura, ainda assim ele seria o príncipe de Gales, e eu, o rei, o confirmo. Amanhã mesmo será entronizado na sua dignidade de príncipe, segundo o protocolo. Providencie tudo imediatamente, lorde Hertford.

Um dos nobres ajoelhou-se ao lado do divã e disse:

— Vossa majestade sabe que o mestre de cerimônias está preso na Torre. Não é apropriado que um proscrito...

— Cale-se! Não me insulte os ouvidos com esse nome execrável. Será que esse homem vai viver para sempre? Será que vão se opor à minha vontade? E o príncipe vai deixar de ser entronizado só porque não existe no reino um mestre de cerimônias que não esteja manchado pela traição? Não, pela glória de Deus! Avise o meu Parlamento que me mande a sentença de Norfolk antes que o sol se levante outra vez, ou pagarão muito caro por isso*!

— A vontade do rei é lei — disse lorde Hertford, após o que se levantou e voltou a seu lugar.

Aos poucos, a ira foi desaparecendo do rosto do rei e ele disse:

— Me dê um beijo, meu príncipe. Isso. De que é que você tem medo? Não sou seu querido pai?

— Vossa majestade é bom para mim, que sou indigno. Ah, grande e bondoso senhor; isso, em verdade, eu sei. Mas... mas... me entristece pensar naquele que está para morrer...

— Ah, sempre o mesmo, sempre o mesmo! Sei que seu coração não mudou, ainda que sua mente tenha sido afetada, porque você sempre teve o espírito bondoso. Mas esse duque se colocou entre você e suas honras; porei outro no lugar dele, que não irá trair seu nobre cargo. Fique descansado, meu príncipe; não se aborreça com esse assunto.

— Mas não fui eu que apressei a sentença dele, meu senhor? Quanto tempo ele poderia viver, se não fosse por minha causa?

— Não se preocupe com ele, meu príncipe; ele não é digno. Me beije outra vez e vá brincar; essa enfermidade está me esgotando. Preciso descansar. Vá com seu tio Hertford e os súditos e volte quando eu estiver refeito.

---

* **A sentença do duque de Norfolk.** A morte do soberano era iminente; temendo que Norfolk pudesse lhe escapar, dirigiu uma mensagem à Câmara dos Comuns em que expressava sua vontade de que se apressasse a sentença, pois Norfolk estava investido da dignidade de chefe do cerimonial; era necessário indicar-lhe um substituto para oficiar a posse de seu filho, o príncipe de Gales. — Hume, vol. iii, p. 307.

Tom saiu com o coração apertado, pois aquela última frase era um golpe mortal na esperança que ele alimentara de que, agora, ficaria livre. Mais uma vez, ouviu um sussurro:

— O príncipe, o príncipe vem vindo!

Cada vez mais acabrunhado, Tom se arrastou por entre cortesãos que, pomposos e enfileirados, lhe faziam reverência; sabia-se agora verdadeiramente prisioneiro, e para sempre seria mantido trancado naquela gaiola dourada, um príncipe abandonado e desprotegido, a menos que Deus, em sua misericórdia, se compadecesse dele e o libertasse.

Para onde quer que se virasse, parecia ver, flutuando no ar, a implacável cabeça e o inesquecível rosto do duque de Norfolk, os olhos fixos nele, acusadores.

Seus antigos sonhos tinham sido muito agradáveis, mas essa realidade era por demais sombria.

VI

Tom recebe instruções

Tom foi levado para o quarto principal de uma nobre suíte e forçado a se sentar, coisa que não queria fazer, pois havia homens mais velhos e de alto escalão perto dele. Pediu-lhes que também se sentassem, mas eles só se curvaram ou murmuraram agradecendo e continuaram de pé. Teria insistido, mas seu "tio", o conde de Hertford, cochichou-lhe no ouvido:

— Por favor, não insista, meu senhor; não é permitido que eles se sentem em sua presença.

Lorde St. John foi anunciado e, depois de prestar homenagens a Tom, disse:

— Venho, por ordem do rei, tratar de assunto confidencial. Vossa alteza real poderia dispensar todos os que estão aqui, menos o senhor conde de Hertford?

Vendo que Tom parecia não saber o que fazer, Hertford cochichou-lhe que fizesse um sinal com a mão, sem se dar ao trabalho de dizer nada, a menos que quisesse. Quando os cavaleiros se retiraram, lorde St. John disse:

— Sua majestade ordena que, por graves e justas razões de estado, vossa alteza, o príncipe, mantenha sua doença em sigilo absoluto, até seu definitivo restabelecimento. E deve parar de negar que é o verdadeiro príncipe e herdeiro do trono da Inglaterra; deve defender sua dignidade de príncipe e receber, sem palavra nem sinal de protesto, a reverência e a obediência que lhe são devidas por força do direito e da tradição; deve parar de contar a quem quer que seja as origens humildes e a vida miserável que a grave doença fez surgir em sua imaginação como perniciosas fantasias; que se empenhe em trazer à memória os rostos que costumava conhecer — e, quando não o conseguir, mantenha-se calmo, não deixando transparecer, de forma alguma, que se esqueceu; em ocasiões oficiais, sempre que algum assunto o deixar perplexo quanto ao que fazer ou o que declarar, que não dê sinais de inquietação aos curiosos, e se aconselhe com lorde Hertford ou com minha humilde pessoa, a quem o rei incumbiu prestar esse serviço e que está à sua disposição enquanto vigorar essa ordem. Assim falou a majestade do rei, que envia saudações a vossa alteza e roga que Deus, em sua infinita bondade, o cure e o tenha, agora e sempre, sob sua santa custódia.

Lorde St. John fez reverência e ficou em pé, a seu lado. Tom respondeu, resignado:

— O rei falou. Ninguém pode regatear nem sair-se com evasivas quando uma ordem do rei desagrada. O rei tem de ser obedecido.

Lorde Hertford interveio:

— No tocante à ordem de sua majestade quanto a livros e coisas do gênero, vossa alteza pode, quem sabe, ocupar-se com passatempos amenos, para não chegar entediado e desgostoso ao banquete.

Tom surpreendeu-se e depois enrubesceu, ao perceber que lorde St. John o olhava compadecido. O lorde comentou:

— A memória ainda o engana, e o senhor mostrou-se surpreso; mas não se deixe abater; isso é passageiro, vai desaparecer com a cura da doença. Milorde Hertford falava do banquete ao qual sua majestade prometeu, há uns dois meses, que vossa alteza estaria presente. Lembra-se?

— Lamento confessar que isso de fato me escapou — disse Tom, hesitante e novamente enrubescido.

Nesse momento, *lady* Elizabeth e *lady* Jane Grey foram anunciadas. Ambos os lordes trocaram olhares significativos, e Hertford precipitou-se para a porta. Quando as meninas passavam, ele lhes sussurrou:

— *Ladies*, finjam não perceber o estado dele, nem se surpreendam quando a memória lhe falhar. Dói ver como ele se confunde por qualquer coisinha.

Enquanto isso, lorde St. John cochichava a Tom:

— Por favor, senhor, tenha sempre em mente o desejo de sua majestade. Lembre-se de tudo o que puder e finja que se lembra do resto. Não as deixe perceber quão diferente está; sabe com que ternura suas companheiras de infância o trazem no coração e quanto isso iria magoá-las. Deseja o senhor que eu fique? E seu tio?

Tom concordou com um gesto e balbuciou uma palavra; já estava aprendendo e, na simplicidade de seu coração, estava decidido a comportar-se da melhor maneira possível, conforme a ordem do monarca.

Apesar de todas as precauções, a conversa entre os jovens foi por vezes um pouco embaraçosa. Na verdade, mais de uma vez, Tom esteve a ponto de desistir e confessar que não estava à altura do difícil papel; mas o tato da princesa Elizabeth o salvou, e palavras aparentemente casuais de um ou de outro dos atentos nobres tiveram o mesmo efeito benigno. A certa altura, a pequena *lady* Jane virou-se para Tom e quase o fez desmaiar com esta pergunta:

— Milorde já cumpriu hoje suas obrigações para com a rainha?

Tom hesitou, pareceu aflito e ia resmungar qualquer coisa, quando lorde St. John tomou a palavra e respondeu por ele, com a elegante eloquência do cortesão traquejado em situações delicadas:

— Claro que sim, madame, e ela o encorajou muito, quanto ao estado de sua majestade; não é verdade alteza?

Tom murmurou algo como um sim, mas sentiu que estava pisando terreno perigoso. Mais adiante, alguém comentou que Tom ia parar de estudar por algum tempo, ao que a pequena *lady* exclamou:

— Que pena! Você estava indo tão bem! Mas não se desespere; vai ser por pouco tempo. Você ainda vai ser tão culto quanto seu pai e falar tantas línguas quanto ele, meu bom príncipe.

— Meu pai! — gritou Tom, descontrolando-se por um momento.— Quando ele fala, só os porcos que chafurdam no chiqueiro entendem o que quer dizer; e, quanto a ser culto, de qualquer modo...

Olhou de lado e viu estampada, no olhar de lorde St. John, uma solene advertência.

Parou, ruborizou-se, depois prosseguiu, com voz débil e pesarosa:

— Ah, a doença voltou a me atormentar, e sinto a cabeça zonza. Não tive intenção de ser indelicado com sua majestade.

— Nós sabemos, senhor — acudiu a princesa Elizabeth, tomando nas suas a mão de "seu irmão", respeitosa mas carinhosamente. — Não se aflija. É por causa da doença.

— É muita delicadeza sua, encantadora princesa; e o coração me impele a agradecer por isso, se não lhe pareço atrevido — disse Tom.

Uma vez, a sapeca *lady* Jane fuzilou Tom com uma frase banal, em grego. A perspicaz Elizabeth, percebendo, pela serena perplexidade da vítima, que a flecha errara o alvo, descarregou tranquilamente uma rajada de frases em grego para ajudar Tom, após o que desviou a conversa para outros assuntos.

No geral, o tempo escoava agradável, serenamente. As dificuldades pareciam cada vez menores, e Tom foi se sentindo mais e mais à vontade; notava que todos estavam amavelmente dispostos a ajudá-lo e a fazer vista grossa a seus erros. Quando soube que as princezinhas o acompanhariam ao banquete do prefeito, naquela noite, seu coração disparou de satisfação e alegria, porque sentiu que agora não ficaria sem amigos em meio àquela multidão de estranhos, ao passo que antes a ideia de acompanhá-las teria lhe dado um medo insuportável.

Os anjos da guarda de Tom, os dois lordes, haviam ficado bem menos à vontade na entrevista. Sentiam-se como se pilotassem um grande navio através de uma passagem perigosa; tinham de estar sempre alerta e achavam que seu trabalho não era nenhuma brincadeira de criança. Assim, quando finalmente a visita das mocinhas ia se encerrando e lorde Guilford Dudley foi anunciado, ambos concluíram que sua carga já fora bastante pesada e que não estavam na melhor forma para outra vez conduzir seu navio e repetir sua angustiante viagem. Por isso, respeitosamente aconselharam Tom a declinar da audiência, coisa que ele fez de muito bom grado — embora um leve desapontamento se mostrasse no rosto de *lady* Jane Grey quando ela soube que o príncipe se recusara a receber aquele esplêndido rapazinho.

Fez-se uma pausa, uma espécie de silêncio cheio de expectativa, o qual Tom não compreendia. Olhou para lorde Hertford, que lhe fez um sinal, mas Tom não entendeu. A sempre desembaraçada Elizabeth veio socorrê-lo, com sua graça habitual. Ela fez uma reverência e disse:

— Quiçá devamos deixar a graciosa companhia do príncipe meu irmão.

Tom respondeu:

— Vossas senhorias podem contar comigo para qualquer coisa que desejem; entretanto, longe de mim abusar ainda mais do encanto de vossas presenças. Assim, eu respeitosamente me despeço, e que Deus esteja convosco!

Então, no íntimo, ele sorriu:

"Não foi à toa que, em minhas leituras, eu vivi metido com os príncipes e treinei a língua com os truques desse linguajar cheio de floreio e graça."

Quando as ilustres jovens partiram, Tom, cansado, dirigiu-se a seus guardiões e perguntou:

— Os senhores se incomodariam se eu fosse descansar?

Hertford disse:

— Como quiser. Vossa alteza determina e nós obedecemos. Na verdade, é preciso que descanse, pois temos de ir à cidade em seguida.

Ele tocou a sineta e apareceu um pajem, a quem foi solicitada a presença de *sir* William Herbert. Esse cavalheiro veio imediatamente e levou Tom para um apartamento privativo. A primeira coisa que Tom fez foi tentar pegar um copo de água, mas um serviçal vestido de seda e veludo antecipou-se e, ajoelhado, ofereceu-lhe o copo numa bandeja de ouro.

Em seguida, o exausto prisioneiro sentou-se e estava para tirar os sapatos, quase que pedindo licença com os olhos, quando outro chato de seda e veludo ajoelhou-se e fez o serviço por ele. Por duas ou três vezes, ainda tentou se virar sozinho, mas foi prontamente impedido, até que, afinal, se rendeu, com um suspiro de resignação:

— Maldito seja! mas eu não ia me espantar se eles também quisessem respirar no meu lugar!

De chinelos e embrulhado num suntuoso roupão, deitou-se ao menos para descansar, já que não podia dormir, pois a cabeça fervilhava de pensamentos e o quarto, de gente. Não conseguia despachar os primeiros, e eles ficaram; nem sabia como se livrar dos últimos, e eles também ficaram, para profundo desapontamento de Tom — e deles também.

Quando Tom saiu, seus dois nobres guardiões ficaram sozinhos. Refletiram um pouco, com muitas sacudidelas de cabeça e vaivéns pela sala. Por fim, lorde St. John quis saber:

— Sinceramente, que acha?

— Sinceramente, o seguinte. O rei está por um fio, e meu sobrinho, louco; vai subir louco ao trono e louco vai continuar. Deus proteja a Inglaterra; ela vai precisar muito!

— De fato, parece que vai ser assim mesmo. Mas... o senhor não tem dúvidas sobre... sobre...

Hesitou e, por fim, calou-se. Claro que percebeu estar tocando num assunto delicado. Hertford parou diante dele e lançou-lhe um olhar franco e penetrante.

— Diga; ninguém está nos ouvindo. Dúvidas sobre o quê? — encorajou Hertford.

— Detesto ter de dizer a um parente tão próximo dele o que me vai pela cabeça. Mil perdões se o estiver ofendendo, mas não é meio estranho que a doença tenha lhe afetado tão profundamente o porte e as maneiras? Ainda são aristocráticos, embora levemente diferentes do que eram. Não lhe parece estranho que a loucura lhe tenha roubado da memória as feições do próprio pai; as prerrogativas que lhe cabem; e, sem afetar-lhe o latim, tenha apagado o grego e o francês? Milorde, não se ofenda, mas me tranquilize o espírito. Fiquei pasmado quando ele disse que não era o príncipe e...

— Quê?! Mas o que o senhor está dizendo é traição! Esqueceu-se da ordem do rei? Lembre-se de que, só por escutar o que diz, sou cúmplice de seu crime.

St. John empalideceu e se apressou em dizer:

— Eu errei, confesso. Não me denuncie; conceda-me essa graça, por obséquio, e nunca mais vou pensar nem tocar nesse assunto. Não seja severo comigo, senhor, do contrário estarei arruinado.

— Está bem, milorde. Se não voltar a agir insensatamente, nem diante de mim nem diante dos outros, será como se nunca me tivesse falado nada. Mas não duvide. Ele é o filho de meu irmão; não me são familiares, desde o berço, a voz, o rosto e a aparência dele? A loucura pode provocar todas essas esquisitices e incoerências que você viu nele e ainda mais. Não se lembra de como o velho barão Marley, quando enlouqueceu, esqueceu-se dos traços do próprio rosto, que ele conhecia havia sessenta anos, e teimava que eram de outra pessoa? E ainda se dizia filho de Maria Madalena e que sua cabeça era feita de vidro espanhol; e, diga-se de passagem, não deixava ninguém tocá-la, para que nenhuma mão descuidada pudesse, por acaso, quebrá-la. Meu bom senhor, livre-se dessa desconfiança. Ele é o verdadeiro príncipe. Conheço-o muito bem... e logo será seu rei; é bom ter isso em mente.

Conversaram um pouco mais, e lorde St. John tentou remediar seu erro o melhor que pôde, com insistentes declarações de que agora sua fé era inabalável e não seria mais assaltada por dúvidas. Hertford rendeu seu companheiro de guarda e sentou-se para montar sentinela. De repente, viu-se mergulhado em profunda meditação. E, evidentemente, quanto mais pensava, mais se aborrecia. Logo começou a marchar pelo quarto e a resmungar.

— Ora, ele *tem de* ser o príncipe! Existiria alguém, em todo o reino, capaz de afirmar que duas pessoas, sem laços de sangue, podem ser tão incrivelmente parecidas? E, mesmo que isso fosse possível, seria um milagre ainda mais estranho que o destino colocasse uma no lugar da outra. Não! É loucura, loucura, loucura!

Então, ponderou:

— Agora, se ele fosse impostor, se se fizesse passar por príncipe, *isto* seria natural, razoável mesmo. Mas haverá impostor que, ao ser chamado de príncipe pelo rei, pela corte, por todos, negue sua realeza e rejeite sua elevada hierarquia! *Não!* Pela alma de S. Swithin, não! Ele é o verdadeiro príncipe, que ficou louco.

VII

O primeiro jantar régio de Tom

Pouco depois da uma da tarde, Tom submeteu-se resignado ao tormento de ser vestido para o jantar. Trajava-se agora tão luxuosamente quanto antes, mas era tudo diferente, tudo mudado, da gola franzida às meias. Foi conduzido, com muita cerimônia, para um salão espaçoso e ornamentado, onde já havia uma mesa preparada para uma pessoa. Toda a mobília era de ouro maciço, adornada com desenhos de valor quase inestimável, pois eram obra de Benvenuto. A sala estava quase toda ocupada por nobres serviçais. O capelão oficiou a ação de graças, e Tom já ia avançar, pois era esfomeado de nascença, quando foi interrompido pelo conde de Berkeley, que lhe colocou um guardanapo no pescoço; o alto cargo de guardanapeiro do príncipe de Gales era hereditário na família desses nobres. O copeiro de Tom estava a postos e boicotava todas as suas tentativas de se servir de vinho por conta própria. O provador de sua alteza, o príncipe de Gales, também estava lá, pronto para experimentar, por dever de ofício, qualquer prato suspeito, sob risco de ser envenenado. Naquela época, ele não passava de peça decorativa, e só raramente era convocado; mas houve tempo, poucas gerações antes, em que o cargo de provador tinha lá seus riscos e não era honraria muito cobiçada. O estranho era eles não usarem um cachorro, mas todos os hábitos da realeza são estranhos. Lorde d'Arcy, primeiro-camareiro, estava ali para fazer sabe Deus o quê; mas lá estava ele — e basta. O chefe dos mordomos encontrava-se presente e ficou de pé, atrás da cadeira de Tom, observando as solenidades, comandadas pelo camareiro-geral e pelo chefe de cozinha, que ficaram por perto. Além desses, Tom dispunha de trezentos e oitenta e quatro criados, embora nem todos estivessem ali, claro, por absoluta falta de espaço; mas Tom ainda nem sabia que eles existiam.

Todos os que estavam presentes haviam sido treinados, um pouco antes, para não esquecer que o príncipe estava temporariamente desmiolado e para ter o cuidado de não ficar surpresos com suas excentricidades. As "excentricidades" não se fizeram esperar, mas só provocaram compaixão e tristeza, nem uma risada. Era-lhes doloroso ver o amado príncipe tão doente.

O pobre Tom comeu quase só com a mão, mas ninguém viu nem pareceu notar. Ele examinou o guardanapo, curioso e interessado, porque era de tecido fino e bonito; depois, disse com naturalidade:

— Por favor, tirem isso daqui; eu sou desajeitado, vai acabar sujando.

O guardanapeiro atendeu, com reverência e sem reclamação.

Tom examinou nabos e alface com interesse e perguntou o que eram e se se prestavam à alimentação, pois só recentemente se tinha começado a cultivar essas coisas na Inglaterra, em vez de importá-las da Holanda, como iguarias*. A pergunta foi respondida com grave respeito, e não provocou surpresa. Quando terminou a sobremesa, Tom encheu os bolsos de nozes; mas ninguém pareceu notar nem se perturbar com isso. Em seguida, porém, ele mesmo ficou perturbado, pois tinha sido descompostura; fora a única coisa que lhe tinham deixado fazer com as próprias mãos, durante o jantar, e, sem dúvida, havia sido algo inconveniente e indigno de um príncipe. Nesse momento, os músculos do seu nariz começaram a se contrair, enquanto a ponta desse órgão se levantava e se enrugava. Como o distúrbio não cessasse, Tom passou a demonstrar crescente mal-estar. Olhou suplicante primeiro para um, depois para outro dos lordes a seu lado, e não conteve as lágrimas. Eles correram para ajudar, os rostos preocupados, e quiseram saber qual era o problema. Tom disse, com verdadeira angústia:

— Ajudem-me, senhores! Meu nariz está coçando horrivelmente. Que se costuma fazer numa emergência dessas? Rápido, por favor, que eu não aguento mais.

Ninguém riu, embora todos estivessem perplexos e se entreolhassem, aflitos, em busca de conselho. Mas vejam só! Aquilo era uma enrascada sem precedentes na história da Inglaterra; por isso não se sabia como agir. O mestre de cerimônias não estava presente; não havia

---

* Foi só no fim desse reinado (de Henrique VIII) que cenouras, nabos e outras raízes comestíveis começaram a ser cultivadas na Inglaterra. Antes disso, o pouco que se consumia desses vegetais era importado da Holanda e de Flandres. A rainha Catarina, quando queria comer salada, precisava mandar um mensageiro a esses lugares. — *História da Inglaterra*, de Hume, vol. iii, p. 314.

ninguém que se sentisse capaz de se aventurar naquele mar desconhecido ou se arriscar a resolver o solene problema. Ai! Não existia um coçador hereditário? Enquanto isso, as lágrimas transbordaram e começaram a rolar pelas bochechas de Tom. As cócegas no nariz pediam, com urgência urgentíssima, algum alívio. Por fim, a natureza rompeu as barreiras da etiqueta: Tom rezou no íntimo, pedindo perdão por fazer, quem sabe, alguma coisa errada, e devolveu o alívio à sua corte coçando sozinho o próprio nariz.

Após a refeição, um lorde colocou diante de Tom um grande prato dourado e raso, com água perfumada de rosas, para lavar a boca e os dedos; o guardanapeiro hereditário ficou parado, com um guardanapo a postos. Por um momento, Tom olhou embasbacado para o prato, depois o levou aos lábios e, gravemente, tomou um gole. Devolveu-o, então, ao lorde:

— Não, não gosto disso, milorde; o perfume é bom, mas precisava ser mais forte.

A nova demonstração de desatino do príncipe tocou fundo os corações, mas não deu pretexto a gozações.

A gafe seguinte foi quando Tom abandonou a mesa no exato momento em que o capelão se postara atrás de sua cadeira, olhos fechados e mãos erguidas, para dar a bênção. Mais uma vez, fingiu-se não perceber que sua alteza cometera um despropósito.

À sua ordem, nosso pequeno amigo foi conduzido a seu gabinete particular, e deixado a sós. Na parede de carvalho, penduradas em ganchos, havia muitas peças de uma armadura de aço brilhante, toda recoberta de belos desenhos delicadamente incrustados em ouro. Pertencia ao verdadeiro príncipe, presente de madame Parr, a rainha. Tom pôs as perneiras, as luvas, o elmo de plumas e algumas outras peças que pôde vestir sozinho e, por um momento pensou em pedir ajuda para terminar de se aprontar, mas lembrou-se das nozes que trouxera do jantar e da alegria de poder comê las longe dos olhares inoportunos e da presença incômoda dos grandes hereditários. Devolveu as coisas a seus lugares e se pôs a quebrar nozes; era a primeira vez que sentia uma felicidade quase verdadeira desde que Deus o fizera príncipe por causa de seus pecados. Quando devorou todas as nozes, ele encontrou num armário uns livros interessantes, um dos quais sobre a etiqueta da corte inglesa. Aquilo era uma bênção. Estirou-se num suntuoso divã e começou a se instruir com afinco. Vamos deixá-lo aí por enquanto.

VIII

O caso do sinete

Por volta das cinco horas, Henrique VIII acordou de uma sesta desagradável e lastimou-se consigo mesmo:

— Maus sonhos, maus sonhos! Meu fim está próximo; é o que dizem esses presságios, que minha pressão baixa confirma.

Um brilho funesto irradiou-se dos seus olhos.

— Mas não morrerei antes *dele*.

Assim que a criadagem percebeu que ele estava acordado, um deles se aproximou e perguntou se era de sua vontade receber o lorde chanceler, que estava aguardando.

Façam entrar, façam entrar! — ordenou com rispidez.

O chanceler entrou, ajoelhou-se perto do divã e comunicou:

— Dei a sentença e, de acordo com vossa ordem, os pares do reino, vestindo suas togas, estão agora no tribunal, onde, confirmada a condenação do duque de Norfolk, humildemente aguardam a decisão de vossa majestade sobre o assunto.

O rosto do soberano iluminou-se de uma alegria feroz.

— Levantem-me! Vou ao meu Parlamento em pessoa, e com minha própria mão selarei o mandado que me livra de...

A voz enfraqueceu, uma palidez cinzenta recobriu-lhe as faces, e os criados o ajudaram a recostar-se nas almofadas e, às pressas, o medicaram com tonificantes. O monarca então lamentou:

— Oh! Como esperei por esse sublime momento! Mas eis que ele chega tarde demais, e me vejo roubado dessa tão cobiçada oportunidade. Mas rápido, não percam tempo! Que outros pratiquem esse ato divino, já que ele me é negado. Ponho meu grande sinete em comissão; escolham os senhores que devem compô-la e mãos à obra. Rápido, homem! Antes que o sol se levante outra vez, traga-me a cabeça dele.

— De acordo com a determinação do rei, assim se fará. Vossa majestade pode ordenar que o sinete me seja devolvido agora, para que eu possa implementar as medidas?

— O sinete? Mas quem o guarda não é você?

— Perdão, majestade, o senhor o tirou de mim há uns dois dias, dizendo que ele não mais deveria ser utilizado até que sua augusta mão chancelasse a sentença do duque de Norfolk.

— Por que fiz isso? Eu me lembro. Que fiz com ele? Estou muito fraco. A memória está sempre me traindo. É estranho, muito estranho...

O rei começou a balbuciar uns sons desarticulados, vez ou outra balançando a cabeça grisalha, tentando em vão lembrar-se do que fizera do sinete.

Por fim, milorde Hertford atreveu-se a ajoelhar-se e a reavivar a memória de sua majestade.

— Perdoe-me a intromissão, senhor, mas, como eu, muitos aqui se lembram de que vossa majestade entregou o grande sinete a sua alteza, o príncipe de Gales, para que ele o guardasse até o dia em que...

— Mas claro! Foi isso mesmo! — concordou o monarca. — Vá buscá-lo! Vá! o tempo voa!

Hertford voou ao encontro de Tom, mas voltou à presença do rei de mãos vazias e muito perturbado.

— Sinto muito, meu soberano, por lhe trazer uma notícia tão desagradável; mas é o desejo de Deus que a doença do príncipe ainda persista, e ele não consegue lembrar-se de que recebeu o sinete. Por isso, voltei depressa para contar; penso que será inteiramente inútil vasculhar todas as dependências de sua real alteza...

Nesse ponto, Hertford foi interrompido por um gemido do rei. Instantes depois, sua majestade disse, com profunda tristeza:

— Não o perturbem mais, pobre criança! A mão de Deus desabou implacável sobre ele, e meu coração se compadece e se entristece por eu não poder carregar o fardo dele nos meus velhos e cansados ombros e, assim, lhe dar um pouco de paz.

Fechou os olhos, resmungou um pouco e calou-se. Após um momento, abriu novamente os olhos e deixou que vagassem à toa, até que os pousou no chanceler, que estava ajoelhado. Imediatamente, teve um acesso de fúria:

— O quê! Você ainda está aqui! Pela glória de Deus, ainda não tomou nenhuma providência no caso do traidor? Seu chapéu vai ficar vazio amanhã, por falta de cabeça para usá-lo.

Tremendo, o chanceler respondeu:

— Misericórdia, majestade! É que eu estava esperando pelo sinete.

— Homem, você perdeu o juízo? O sinete pequeno que eu costumava levar comigo em viagem está no meu tesouro. E, já que o grande sinete desapareceu, será que esse não basta? Você endoidou? Ande! E olhe aqui, não me apareça enquanto não trouxer a cabeça dele.

O pobre chanceler escafedeu-se dali como um raio, e a comissão também não perdeu tempo para dar o consentimento do rei à tarefa do submisso Parlamento, e marcou para o dia seguinte a decapitação do primeiro lorde da Inglaterra, o infeliz duque de Norfolk*.

---

* **A proscrição de Norfolk.** A Câmara dos Lordes, sem interrogatório, sem julgamento nem provas, manteve a sentença de proscrição contra Norfolk e a encaminhou à Câmara dos Comuns... Servis, os comuns cumpriram a ordem (do rei); e o monarca, tendo dado o seu consentimento à sentença por meio de uma comissão, ordenou a execução de Norfolk para a manhã de 29 de janeiro (o dia seguinte) — *História da Inglaterra*, de Hume, vol.iii, p. 306.

IX

O cortejo cívico pelo rio

Às nove da noite, a ampla fachada do palácio que dava para o rio estava toda iluminada. O próprio rio, até onde a vista podia alcançar, na direção da cidade, estava tão coberto de barqueiros e de vistosas barcaças, guarnecidas de lanternas coloridas e agitadas com leveza pelas ondas, que parecia um jardim resplandecente e sem fim, crispado delicadamente pela brisa do verão. O enorme terraço de degraus de pedra, que levavam até a água, tão descomunal que podia abrigar o exército inteiro de qualquer principado alemão, era um quadro digno de contemplação, com colunas de alabardeiros reais, em reluzentes armaduras, e tropas de criados elegantemente uniformizadas, no afobado sobe e desce e vai e vem dos preparativos.

A uma ordem, todas as criaturas vivas evaporaram-se da escadaria como que por encantamento. O ar agora estava pesado com o silêncio de suspense e expectativa. Até onde se podia enxergar, miríades de pessoas levantavam-se nos barcos e protegiam os olhos do clarão das lanternas e das tochas e olhavam para o palácio.

Um cortejo de quarenta ou cinquenta barcos de luxo deslizou até a escadaria. Eram ricamente dourados, e suas elevadas proas e popas tinham entalhes primorosos. Alguns traziam bandeiras e flâmulas como motivos de decoração, e outros ostentavam velas trabalhadas de ouro e tapeçarias bordadas com brasões; outros ainda desfilavam bandeiras de seda, cravejadas com uma porção de sininhos de prata que tilintavam uma música alegre sempre que farfalhados pela brisa; e também havia os que, mais pretensiosos, por pertencer a nobres a serviço direto do príncipe, exibiam as laterais pitorescamente guarnecidas de escudos ornados com figuras heráldicas. Cada embarcação de gala era rebocada por uma auxiliar. Além dos remadores, esses rebocadores transportavam certo contingente de soldados, com elmos e peitorais brilhantes, e uma banda de músicos.

Uma tropa de alabardeiros — a vanguarda do esperado cortejo — despontou, então, no grande portal. Vestiam calções com listras pretas e amarelo-castanho, boinas de veludo, debruadas com rosas de prata, e gibões de tonalidade vinho e azul, bordados na frente e atrás com as três plumas de ouro do brasão do príncipe. Os bastões das alabardas eram forrados de veludo carmim, preso com tachas douradas, e ornamentados com borlas de ouro. Postados à direita e à esquerda, eles formavam duas longas filas, que iam da entrada do palácio até a orla do rio. Um pano, ou tapete grosso e raiado, foi então desdobrado e estendido entre eles pelos criados do príncipe, fardados de ouro e carmim. Em seguida, um acorde de trombetas ressoou lá dentro. Ouviu-se um prelúdio animado, vindo dos músicos que estavam na água, e dois escudeiros, com bastões brancos, marcharam pelo portal, a passos lentos e imponentes. Eram secundados por um oficial carregando o cetro cívico e, depois deste, por outro, com a espada da cidade; depois vinham muitos sargentos da guarda da cidade, com suas vestimentas completas e insígnias nas mangas; depois, o mestre de armas, com seu manto; depois, muitos cavaleiros, cada um com uma fita branca na manga; depois, seus escudeiros; depois os juízes, com togas escarlates e barretes na cabeça; depois, o primeiro chanceler da Inglaterra, em toga escarlate, aberta na frente e forrada de peles; depois, uma delegação de regedores, com mantos escarlates; e, depois, os chefes de diferentes sociedades cívicas, com trajes oficiais. Daí, vieram descendo a escadaria doze cavaleiros franceses, esplendidamente vestidos, com coletes de adamascado branco, listrados de ouro, mantos curtos, de veludo carmim, forrados de tafetá violeta e *hauts-de--chausses* rosados. Compunham o séquito do embaixador francês e eram seguidos por doze cavaleiros da comitiva do embaixador espanhol, vestidos de veludo negro, sem nenhum adorno. Em seguida, vinham muitos nobres ingleses com seus criados.

Do interior, ecoou um acorde de trombetas; o tio do príncipe, futuro grão-duque de Somerset, apareceu no grande portão, vestindo um gibão preto de ouro e uma capa de cetim carmim enfeitada de ouro e pespontada com filós de prata. Virou-se, tirou a boina emplumada, curvou-se em sinal de reverência e começou a caminhar para trás, fazendo uma saudação a cada passo. Seguiu-se um prolongado toque de trombeta e a proclamação:

— Abram caminho para o grande e glorioso lorde Edward, príncipe de Gales!

Do alto dos muros do palácio, explodiu com estrondo um feixe de línguas de fogo vermelhas; a multidão que estava no rio soltou um rugido estridente de boas-vindas; e Tom Canty, herói e razão daquilo tudo, apareceu e cumprimentou levemente com sua principesca cabeça.

Estava magnífico, com gibão de cetim branco e peitoral purpúreo, crivado de diamantes e arrematado com arminho. Sobrevestia um manto de tecido de ouro branco, arrematado com as três plumas, forrado de cetim azul, bordado com pérolas e pedras preciosas e preso com um fecho de brilhantes. Pendia-lhe do pescoço a insígnia da Ordem da Jarreteira e de muitas ordens principescas estrangeiras, e toda vez que a luz refletia-se nele as joias respondiam com uma faísca. Oh, Tom Canty, nascido numa choupana, educado nas sarjetas de Londres, acostumado aos trapos, à sujeira e à miséria, que espetáculo era aquilo!

X

O príncipe se mata de trabalhar

Tínhamos deixado John Canty arrastando o verdadeiro príncipe para Offal Court, seguido por uma multidão barulhenta e deliciada. Só uma pessoa tentou defender o prisioneiro, mas ninguém atentou nela; quase nem se ouviu o que ela disse, tamanho era o tumulto. O príncipe continuava lutando pela liberdade, enfurecido com os maus-tratos que estava sofrendo, até que John Canty perdeu o último pingo de paciência e, num acesso de fúria, levantou a bengala de carvalho sobre a cabeça do príncipe. O único defensor do rapaz pulou para segurar o braço do homem e agarrou seu pulso. Canty berrou:

— Está querendo se intrometer, é? Então tome o troco.

E desceu a bengala na cabeça do intrometido; ouviu-se um gemido, um vulto caiu entre os pés da multidão e ali ficou estirado, sozinho, na escuridão. A multidão urrava de satisfação.

Aí, o príncipe viu-se na casa de John Canty, que bateu a porta bem na cara dos curiosos. Na fraca luz de uma vela de sebo espetada numa garrafa, ele conseguiu enxergar o que de mais asqueroso havia naquele antro e também seus ocupantes. Duas garotinhas desgrenhadas e uma mulher de meia-idade estavam agachadas num canto, como bichos que, acostumados aos maus-tratos, os esperassem e agora os temessem. De outro canto, apareceu uma velha megera, encarquilhada, cabelos grisalhos escorridos e olhos malignos. John Canty dirigiu-se a ela:

— Pera aí! A gente tem aqui uma palhaçada e tanto. Não estraga a festa antes do tempo; depois pode baixar o sarrafo até se fartar. Levanta, rapaz. Agora conta aí de novo aquela doidice; eu sei que você não esqueceu. Diz teu nome, vai. Quem é tu?

O insulto fez o sangue do pequeno príncipe ferver outra vez, ele faiscou um olhar firme e indignado e disse a John Canty:

— É muito atrevimento de sua parte mandar que eu fale. Mas eu repito: sou nada menos que Edward, príncipe de Gales.

A resposta foi tão atordoante que deixou a bruaca plantada no chão, ofegante. Ela esbugalhou os olhos para o príncipe, tão apalermada que fez o bandido de seu filho desatar uma gargalhada. Diferente foi a reação da mãe e das irmãs de Tom Canty. O pavor dos maus-tratos físicos deu lugar imediatamente a um sofrimento de outra espécie. Elas correram para ele, consternadas e pesarosas:

— Oh, coitado do Tom, pobre menino!

A mãe caiu de joelhos diante do príncipe, pôs as mãos sobre seus ombros e, por entre lágrimas, olhou-o compadecida.

— Oh, meu pobre filho! Aquelas leituras sem pé nem cabeça acabaram afetando teus miolos. Ah! Por que você não desgrudava daqueles livros quando eu te dizia pra parar? Você partiu o coração de sua mãe.

O príncipe olhou-a bem e disse calmamente:

— Seu filho está bem e não perdeu o juízo, minha boa senhora. Fique calma; deixe-me ir para o palácio, onde ele está, e, na mesma hora, o rei, meu pai, devolverá seu filho.

— O rei, seu pai! Oh, meu filho! Pare com essas coisas, só trazem dor para você e desgraça para os seus. Livre-se desse sonho medonho. Puxe pela sua pobre memória. Olhe para mim. Não reconhece sua mãe, que o trouxe ao mundo e o ama?

Relutante, o príncipe sacudiu a cabeça:

— Deus sabe quanto me custa desapontá-la, mas realmente eu nunca vi seu rosto antes.

A mulher voltou a sentar-se no chão e, cobrindo os olhos com as mãos, deixou que seu coração, ferido, soluçasse e gemesse.

— O espetáculo não pode parar! — gritou Canty. — E aí, Nan! E você, Bet! Mal-educadas! De pé na presença do príncipe? De joelhos, farrapos da ralé, e façam reverência!

Soltou outra gargalhada cavalar. As meninas começaram a suplicar timidamente pelo irmão, e Nan disse:

— Pai, é melhor deixar ele ir pra cama, o descanso e o sono vão curar essa doidice; por favor, deixe ele ir.

— Por favor, pai — ajudou Bet. — Ele tá cansado demais. Amanhã vai tá bem de novo, disposto pra mendigar, e não vai voltar pra casa de mão vazia.

A última frase acabou com a farra do pai e o fez pensar nos negócios. Virou-se bravo para o príncipe e vociferou:

— Amanhã a gente tem de pagar duas moedas pro dono deste buraco; duas moedas, veja bem... todo esse dinheirão por meio ano de aluguel, ou então vamos ter de cair fora. Mostra o que você conseguiu, seu preguiçoso.

O príncipe retrucou:

— Não me ofenda com suas sórdidas maneiras. Torno a dizer que sou o filho do rei.

A manopla de Canty desferiu um sonoro golpe contra o ombro do príncipe, jogando-o nos braços da mãe de Tom, a qual abraçou o menino e interpôs-se entre ele e a chuva de murros e tapas. As garotas, apavoradas, refugiaram-se em seu canto, mas a avó apressou-se a ajudar o filho. O príncipe afastou-se da sra. Canty, exclamando:

— A senhora não deve sofrer por mim. Deixe esse suíno bater apenas em minha pessoa.

Esse discurso enfureceu tanto o suíno que eles não perderam tempo. Deram-lhe uma senhora surra, e bateram nas meninas e na mãe delas, por terem demonstrado simpatia pelo rapaz.

— Agora — disse Canty —, todo mundo pra cama. A festa me cansou.

A luz foi apagada, e a família foi dormir. Tão logo os roncos do chefe da casa e de sua mãe mostraram que ambos haviam caído no sono, as meninas arrastaram-se até onde jazia o príncipe e cobriram-no carinhosamente com palha e trapos. A mãe de Tom também rastejou até ele, acariciou sua cabeça e chorou, sussurrando em seu ouvido palavras de conforto e compaixão. Ela guardara um naco de comida, mas as dores do menino espantaram toda a fome — ou, pelo menos, toda a fome de migalhas escuras e insossas. Ele estava comovido com a defesa tão corajosa e valorosa que ela tinha feito e com sua comiseração e agradeceu com palavras nobres e principescas, pedindo-lhe que voltasse a dormir e tentasse esquecer seu sofrimento. Acrescentou que seu pai, o rei, não deixaria que a bondade e devoção dela ficassem sem recompensa. A recaída da "doença" partiu novamente seu coração, e ela o apertou no peito muitas vezes, depois voltou para cama, afogada em lágrimas.

Já deitada, triste e pensativa, começou-lhe a surgir a ideia de que havia alguma coisa indefinível naquele menino que faltava em Tom Canty, doente ou são. Não sabia descrever, não sabia dizer exatamente o que era, mas, mesmo assim, o agudo instinto materno parecia detectar e perceber alguma coisa. Afinal, será que o rapaz não era mesmo seu filho? Ora, que absurdo! Quase riu da ideia, apesar das dores e dos problemas. Mesmo assim, ela sentia que a ideia não "desaparecia", pelo contrário, persistia. Perseguia-a, atormentava-a, grudava-se nela e se recusava a ser descartada ou ignorada. Por fim, percebeu que não se acalmaria enquanto não pudesse encontrar um meio de testar e provar, clara e definitivamente, se o rapaz era ou não seu filho, para assim se libertar daquela dúvida cansativa e inquietante. Ah sim, essa era mesmo a melhor saída para sua dificuldade; começou então a tentar inventar um teste, mas era algo mais fácil de pensar do que de fazer. Foi repassando mentalmente todos os tipos de teste possíveis, mas acabou por eliminá-los todos: nenhum era absolutamente seguro, absolutamente perfeito; não ia contentar-se com um teste imperfeito. Evidentemente, quebrava a cabeça à toa; estava claro que devia desistir. Enquanto essa ideia desanimadora lhe passava pela cabeça, seu ouvido percebeu a respiração regular do rapaz, e ela constatou que ele adormecera. No momento em que estava ouvindo, a respiração regular foi interrompida por um grito baixo e assustado, como o que se costuma dar num sono agitado. Esse simples acaso forneceu-lhe, na mesma hora, um plano que valia pelo esforço de todos os testes juntos. Febrilmente, mas sem fazer barulho, tratou de reacender a vela, murmurando para si mesma:

— Se eu estivesse olhando para ele, *naquele momento*, ficaria sabendo! Desde o dia, quando era pequeno, em que a pólvora explodiu na cara dele, sempre que se assusta com algum sonho ou com qualquer coisa, ele costuma cobrir o rosto com a mão, como fez da primeira vez; e não como todo o mundo, com a palma virada pra dentro, mas sempre com a palma virada pra fora. Já vi isso mais de cem vezes e nunca foi diferente, nunca falhou. É, agora vou ficar sabendo logo!

Ela já estava perto do menino adormecido, protegendo a chama da vela com a mão. Inclinou-se com cuidado sobre ele, mal respirando em sua contida emoção, e iluminou-lhe o rosto subitamente batendo com a mão fechada no chão, bem do lado de sua orelha. Os olhos do adormecido se arregalaram, e ele olhou assustado em volta, mas não fez nenhum movimento especial com as mãos.

A pobre mulher ficou desnorteada com essa reação, mas conseguiu dominar a emoção e fazer o menino voltar a dormir; afastou-se e ficou pensando no resultado desastroso de sua experiência. Tentou convencer-se de que a doença de Tom é que tinha acabado com o seu gesto habitual, mas não conseguiu.

— Não — ela disse —, as *mãos* dele não estão loucas; não podem ter esquecido tão depressa um hábito tão antigo. Ai, hoje foi um dia péssimo pra mim!

No entanto, a esperança era tão teimosa agora quanto a dúvida fora antes; ela não conseguia aceitar o resultado do teste; tinha de tentar outra vez; o fracasso devia ter sido só por acaso; então, ela perturbou o sono do menino uma segunda e uma terceira vez, em intervalos regulares, com o mesmo resultado do primeiro teste; aí se arrastou de volta para a cama e foi dormir triste, dizendo:

— Mas eu não posso desistir. Ah, não, não posso, não posso; *tem de* ser o meu filho!

Depois que a pobre mãe parou de incomodar e as dores foram perdendo pouco a pouco a capacidade de perturbar, um grande cansaço selou finalmente os olhos do príncipe num sono profundo e restaurador. As horas se escoavam, e ele ainda dormia como morto. Assim se passaram quatro ou cinco horas. Por fim, seu torpor começou a ficar mais leve. Meio dormindo, meio acordado, ele murmurou:

— *Sir* William!

Após um instante:

— Olá, *Sir* William Herbert! Venha cá depressa e escute o sonho mais estranho do mundo. *Sir* William! Não está ouvindo? Homem, eu me vi transformado num mendigo e... Depressa, aqui! Guardas! *Sir* William! O quê? Nenhum criado de quarto em serviço? Ai, ai, é preciso ser duro com...

— Que é que você tem? — perguntou uma voz sussurrada do lado dele. — Quem é que você está chamando?

— *Sir* William Herbert. Quem é você?

— Eu? Quem podia ser? Sua irmã Nan! Oh, Tom, eu tinha me esquecido! Você ainda está louco; coitado!, você ainda está louco; eu preferia não acordar nunca mais pra não lembrar disso outra vez! Mas, por favor, cuidado com o que fala, senão a gente morre de apanhar!

Assustado, o príncipe quase se levantou, mas uma dor aguda o fez lembrar de suas feridas, e ele voltou a si, caindo deitado outra vez em sua fétida palha, com um gemido e uma exclamação:

— Ai! então não era sonho!

Num segundo, toda a triste miséria e sofrimento que o sono afastara voltou, e ele compreendeu que já não era um príncipe encantado num palácio, sob o olhar reverencioso de toda a nação, mas um mendigo, um marginal, vestido de trapos e preso num antro adequado só para animais, em companhia de mendigos e ladrões.

Em meio ao sofrimento, começou a tomar consciência da alegre algazarra, talvez a um ou dois quarteirões dali. Em seguida, ouviu vários golpes secos na porta; John Canty parou de roncar e perguntou:

— Quem é? Que é que você quer?

Uma voz respondeu:

— Sabe em quem foi que você bateu com sua bengala?

— Não, não sei, nem quero saber.

— Garanto que você já, já muda de tom. E, pra salvar seu pescoço, só fugindo. Agora mesmo o homem está entregando a alma a Deus. É o padre Andrew!

— Deus me perdoe! — exclamou Canty, acordando a família e rugindo uma ordem. — De pé, todo mundo. Fujam! Ou fiquem aí e morram!

Uns cinco minutos depois, a família Canty estava na rua, fugindo para se salvar. John Canty segurava o príncipe pelo pulso e fugia com ele por um caminho escuro, ameaçando em voz baixa:

— Cuidado com a língua, seu louco idiota, e não diga nosso nome. Já vou escolher um nome novo pra mim, pra despistar os cachorros da lei. Cuidado com a língua, tô avisando!

E resmungou para o resto da família:

— Se por acaso a gente se perder, vai todo mundo pra Ponte de Londres; quem chegar primeiro na última loja de lençóis, fica ali, esperando os outros; depois fugimos todos juntos pra Southwark.

Nesse momento, o bando saiu de repente da escuridão para a luz, e não só para a luz, mas para o meio de uma multidão compacta que cantava, dançava e gritava, na margem do rio. Havia uma fila de fogueiras até onde a vista podia alcançar, para cima e para baixo do Tâmisa; a Ponte de Londres estava iluminada; a Ponte de Southwark também; o rio inteiro incandescia sob o clarão e o brilho das luzes coloridas; e o tempo todo os fogos de artifício explodiam e coalhavam o céu de uma intricada teia de resplendores e de uma espessa chuva de centelhas brilhantes, que quase transformavam a noite em dia; havia bandos de foliões por todo lado; Londres inteira parecia à solta.

John Canty xingou furioso e ordenou a retirada, mas já era tarde demais. Ele e sua tribo logo foram engolidos por aquele enxame de gente e irremediavelmente separados um do outro. Nós não estamos considerando o príncipe como parte da tribo; Canty ainda o agarrava firme. O coração do príncipe batia forte com a esperança de agora poder escapar. Um barqueiro corpulento, visivelmente exaltado pelo álcool, foi empurrado com estupidez por Canty, que tentava abrir caminho na multidão; ele botou a mão enorme no ombro de Canty e disse:

— Ei, por que tanta pressa, amigo? Não perca tempo com besteira, quando toda essa gente honesta e boa está se divertindo.

— É coisa minha, e você não tem nada com isso — respondeu Canty grosseiramente. — Tire a mão daí e me deixe passar.

— Já que está tão mal-humorado, eu *não* largo enquanto você não beber pelo príncipe de Gales, tá me entendendo? — disse o barqueiro, barrando resolutamente o caminho.

— Então me dá o copo de uma vez, rápido, vamos!

A essa altura, outros barqueiros já estavam também interessados. E gritavam:

— A taça do amor, a taça do amor! Esse tratante mal-humorado vai ter de beber na taça do amor, ou então vira comida pros peixes.

Trouxeram então uma grande taça do amor; o barqueiro, segurando-a por uma das alças e sustentando com a outra mão um guardanapo imaginário, apresentou-a a Canty, ao estilo antigo, fazendo que ele segurasse a alça oposta com uma das mãos e tirasse a tampa com a outra, de acordo com o antigo costume*. Isso, é claro, por um instante deixou o príncipe com a mão livre. Ele não perdeu tempo: mergulhou na floresta de pernas à sua volta e desapareceu. Momentos depois, era mais fácil encontrar uma moeda nas águas do Atlântico do que localizar o príncipe naquele agitado mar de gente.

Ele logo entendeu isso e tratou de cuidar de si mesmo, sem se importar mais com John Canty. Logo entendeu também outra coisa: um falso príncipe de Gales estava sendo homenageado em seu lugar. Concluiu rapidamente que o menino mendigo, Tom Canty, aproveitara-se de propósito da estupenda oportunidade e era agora usurpador.

Portanto, só havia um caminho a seguir: localizar a prefeitura, identificar-se e denunciar o impostor. Decidiu também que Tom devia ter um tempo razoável para preparar-se espiritualmente e só então seria enforcado, estripado e esquartejado, de acordo com os procedimentos vigentes na época para os casos de alta traição.

---

* **A taça do amor**. A taça do amor e o peculiar ritual para dela beber são mais antigos que a história da Inglaterra. Acredita-se que ambos tenham sido trazidos da Dinamarca. Até onde se sabe, a taça do amor sempre foi usada nos banquetes ingleses. A tradição explica a cerimônia desta forma: antigamente, considerava-se prudente manter ocupadas as mãos de ambos os bebedores, para evitar que, enquanto um jurava amor e fidelidade ao outro, este pudesse aproveitar a oportunidade para enfiar um punhal no que estava jurando.

XI

Na prefeitura

A barcaça real, acompanhada de magnífica esquadra, tomou seu imponente caminho rio abaixo, em meio à infinidade de barcos iluminados. O ar estava carregado de música; as margens do rio, decoradas com bandeiras coloridas; distante, a cidade brilhava na luz suave das inúmeras fogueiras; acima dela, muitas torres delgadas erguiam-se para o céu, incrustadas de luzes cintilantes que, à distância, pareciam flechas cravejadas de joias atiradas no ar; à medida que a esquadra deslizava pelo rio, era saudada das margens pelo incessante rugido de vivas e pelo brilho e os estouros dos fogos de artilharia.

Para Tom Canty, meio enterrado em suas almofadas de seda, aqueles sons e aquele espetáculo eram um milagre indescritível, sublime e assustador. Para as amiguinhas a seu lado, a princesa Elizabeth e *lady* Jane Grey, aquilo não era nada.

Chegando a Dowgate, a esquadra foi rebocada do límpido Walbrook (cujo canal, durante dois séculos, ficara escondido sob montes de edifícios) até Bucklersbury, passando por casas e pontes apinhadas de foliões e muito iluminadas, até que, por fim, parou numa bacia, onde se situa hoje Barge Yard, no centro da antiga cidade de Londres. Tom desembarcou e, acompanhado de seu galante cortejo, atravessou Cheapside e fez uma curta caminhada por Old Jewry e pela rua Basinghall, até a prefeitura.

Ele e suas pequenas *ladies* foram recebidos com as devidas honras pelo lorde prefeito e pelos patronos da cidade, que usavam correntes de ouro e togas oficiais escarlates, e conduzidos até um dossel oficial, na extremidade de uma grande sala, precedidos pelos arautos, que os anunciavam, e pelo cetro e pela espada da cidade. Os senhores e as damas que deviam acompanhar Tom e suas duas pequenas amigas tomaram assento nas cadeiras colocadas atrás das deles.

Numa mesa baixa, estavam pessoas eminentes e outros nobres convidados, junto com os magnatas da cidade; os plebeus acomodaram-se num monte de mesas, no piso principal da sala. Do pavimento superior, os gigantes Gog e Magog, antigos guardiões da cidade, contemplavam o espetáculo, já acostumados com aquilo havia inúmeras gerações. Ouviu-se um toque de clarim e uma proclamação, e um gordo mordomo apareceu, numa elevação da parede esquerda, seguido de ajudantes, que carregavam com impressionante solenidade um lombo de vaca fumegante e pronto para comer.

Depois da ação de graças, Tom (que fora bem treinado) levantou-se — e a sala inteira com ele — e bebeu, com a princesa Elizabeth, de uma enorme e dourada taça do amor, que passou dela para *lady* Jane e em seguida para toda a assistência. O banquete começara.

Por volta da meia-noite, a festa estava no auge. Foi então que aconteceu um daqueles espetáculos pitorescos tão admirados nos velhos tempos. Ainda existe um relato dele, feito no estilo antiquado de um cronista que o presenciou:

"Tendo-se aberto espaço, entraram, naquele momento, um barão e um conde, vestidos à moda turca, com longas togas douradas, tipo cáftã, chapéus de veludo carmim, com grandes rolos de ouro, cingidos com duas espadas, chamadas cimitarras, penduradas de grandes cinturões de ouro. Em seguida entrou ainda outro barão e outro conde, vestindo longas batas de cetim amarelo, cruzadas com cetim branco, e, em cada prega de tecido branco, havia uma prega de tecido carmim, à moda russa, com chapéus de pele cinza, cada um deles com uma machadinha nas mãos e botas pontudas (com pontas de trinta centímetros) viradas para cima. Depois deles, entrou um cavaleiro, depois o lorde grande almirante e, com ele, cinco nobres, com gibões de veludo carmim, decotados atrás e, na frente, até o meio do peito, abotoados com fivelas de prata; sobrevestiam capas curtas de cetim carmim e usavam chapéus à moda dos dançarinos, adornados com penas de faisão. Estes estavam vestidos à moda prussiana. Os archoteiros, em número de cem, trajavam cetim carmim e verde, à moda dos mouros, e tinham rostos negros. Depois entraram os *mascarados*. Depois os menestréis, fantasiados, dançaram; e os senhores e as damas também dançaram tão selvagemente que era uma delícia de ver".

Enquanto Tom, em seu trono, apreciava a dança "selvagem", perdido de admiração pela mistura deslumbrante de cores caleidoscópicas daquele alvoroço rodopiante de figuras engalanadas, o pequeno maltrapilho, mas verdadeiro príncipe de Gales, proclamava seus direitos e dificuldades, denunciando o impostor e exigindo admissão nas portas da prefeitura! A multidão divertia-se a valer com aquilo e se acotovelava e esticava o pescoço para ver o pequeno desordeiro. De propósito, passaram mesmo a caçoar e a zombar dele, para irritá-lo ainda mais e tornar sua raiva ainda mais divertida. Lágrimas de humilhação encheram-lhe os olhos, mas ele resistiu e desafiou a multidão como um príncipe. Outras provocações se seguiram, novas zombarias o atormentaram e ele exclamou:

— Repito, bando de vira-latas mal-educados, que eu sou o príncipe de Gales! E por mais abandonado e desprotegido que esteja, sem ninguém para me apoiar nem ajudar, mesmo assim não recuo!

— Se você é ou não é príncipe, dá no mesmo; é um rapaz galante e não está sem amigos! Aqui estou eu, do seu lado, para prová-lo; veja bem que você podia ter um amigo pior do que Miles Hendon, sem ter de procurar muito. Não canse a garganta, meu filho; eu falo a língua desses ratos de esgoto como se fosse um deles.

A pessoa que se dirigiu ao príncipe era uma espécie de Don César de Bazan — no jeito, nas roupas e nas maneiras. Era alto, esguio, musculoso. O gibão e o calção eram de tecido fino, mas desbotado e puído, com os galões dourados irremediavelmente manchados; a gola franzida estava amarrotada e rasgada; a pluma do chapéu mole, de abas largas, estava quebrada, e ele tinha aparência suja e suspeita; na cintura, usava um longo espadim, numa bainha enferrujada; com seu porte arrogante, ele logo se destacava como o valentão do pedaço. O discurso dessa figura fantástica foi recebido com uma explosão de zombarias e risadas. Alguns gritavam:

— É outro príncipe disfarçado!

— Cuidado com o que fala, amigo; ele pode ser perigoso!

— É verdade, parece que é mesmo; reparem nos olhos dele!

— Tirem o menino dele; levem o filhote pro bebedouro dos cavalos!

Na mesma hora em que uma mão agarrou o príncipe, movida pelo impulso dessa ideia divertida, a longa espada do desconhecido desembainhou-se e, num baque surdo, o intrometido caiu no chão. Em seguida, um coro de vozes gritava:

— Matem o cachorro! Matem! Matem!

— *Não canse a garganta, meu filho; eu falo a língua desses ratos de esgoto como se fosse um deles.*

A multidão cercou o guerreiro, que foi recuando até uma parede e, como louco, começou a golpear para todo lado, com sua longa espada. As vítimas caíam de um lado e do outro, mas a maré humana pisoteava os que tinham caído e atacava o campeão com fúria redobrada. Parecia que ele estava com os minutos contados, que a destruição era certa, quando, de repente, uma trombeta tocou e uma voz anunciou:

— Abram caminho para o mensageiro do rei!

Uma tropa de homens a cavalo avançou contra a multidão, que fugiu do perigo o mais depressa que suas pernas conseguiam. O audacioso desconhecido agarrou o príncipe nos braços e logo estava longe da multidão e do perigo.

Voltemos para dentro da prefeitura. De repente, mais alto que o barulho e a gritaria da festa, soou clara uma corneta. Fez-se um silêncio instantâneo, profundo silêncio; e ouviu-se uma única voz, a do mensageiro palaciano, que começou uma proclamação, ouvida de pé por toda a multidão.

As palavras finais, solenemente pronunciadas, foram:

— O rei está morto!

Todos, ao mesmo tempo, ficaram cabisbaixos e em profundo silêncio por alguns momentos; depois se ajoelharam, a um só corpo, e estenderam as mãos para Tom; e uma só voz ressoou, tão forte que o edifício pareceu estremecer:

— Viva o rei!

O olhar aturdido do pobre Tom vagou por sobre aquele espetáculo estupidificante e por fim se deteve, sonhadoramente e durante um momento, sobre as princesas ajoelhadas a seu lado, depois sobre o conde de Hertford. Uma súbita decisão brotou em seu rosto. E sussurrou no ouvido de Hertford:

— Me responda sinceramente, por sua fé e sua honra! Se eu desse uma ordem agora, que só um rei tem o privilégio e o direito de dar, essa ordem seria obedecida, sem que ninguém se levantasse para me desacatar?

— Ninguém, meu senhor, em todo o reino. Em sua pessoa repousa a majestade da Inglaterra. Vossa majestade é rei; vossa palavra, lei.

Tom disse com voz forte, clara e muito animado:

— Que, de hoje em diante, a lei do rei seja a lei da misericórdia, e nunca mais a lei do sangue! De pé e sem demora! Vão à Torre e digam que o rei decreta que o duque de Norfolk não deve morrer*!

As palavras foram ouvidas e transmitidas rapidamente de boca a boca por toda a sala e, no momento em que Hertford ia saindo depressa, outro grito prodigioso ecoou:

— O reinado de sangue terminou! Viva Eduardo, rei da Inglaterra!

---

* **O duque de Norfolk escapa por pouco**. Se Henrique VIII tivesse sobrevivido mais algumas horas, sua ordem de execução do duque teria sido obedecida. "Mas, ao chegarem à Torre notícias de que o rei tinha expirado naquela noite, o tenente deixou de cumprir a determinação; e o conselho não julgou prudente iniciar um novo reinado com a morte do maior nobre, condenado por uma sentença tão injusta e tirânica". — *História da Inglaterra*, de Hume, vol. iii, p. 307.

XII

O príncipe e seu libertador

Assim que Miles Hendon e o pequeno príncipe livraram-se da multidão, seguiram por alamedas e vielas, na direção do rio. O caminho estava livre até chegarem perto da Ponte de Londres; então, outra vez mergulharam numa multidão, Hendon segurando forte o pulso do príncipe — quer dizer, do rei. A incrível notícia já estava nas ruas, e o menino ficou sabendo dela através de mil vozes ao mesmo tempo: — O rei está morto!

A notícia gelou o coração do pobre menino abandonado e fez estremecer seu pequeno corpo. Compreendeu a extensão de sua perda e sentiu uma dor profunda, porque o tirano implacável, um terror para muitos, fora sempre gentil com ele. As lágrimas transbordaram de seus olhos, e tudo ficou embaçado. Por um momento, sentiu-se a mais estranha, marginal e desprotegida de todas as criaturas de Deus; depois, como poderoso trovão, outro grito sacudiu a noite:

— Viva o rei Eduardo VI!

Ao ouvi-lo, seus olhos se iluminaram, e ele estremeceu de orgulho até a raiz dos cabelos:

— Ah — pensou —, que coisa grandiosa e estranha: EU SOU O REI!

Nossos amigos ziguezaguearam devagar no meio da multidão que se aglomerava na ponte. A construção, que estava em pé havia seiscentos anos e fora sempre passagem barulhenta e populosa durante todo esse tempo, era um lugar curioso; viam-se fileiras de lojas amontoadas, com as famílias morando no andar de cima, construídas de ambos os lados e de uma margem à outra do rio. A ponte era uma espécie de cidade em si mesma; tinha suas hospedarias, bares, padarias, armarinhos, mercados, indústrias de manufatura e até mesmo uma igreja. Ela considerava as duas vizinhas que ligava entre si — Londres e Southwark — como subúrbios, não mais que isso. Era, por assim dizer, uma sociedade fechada; uma cidade estreita, de uma rua só, com uns trezentos metros de comprimento; sua população parecia-se com as de cidades interioranas, ali todo mundo conhecia todo mundo intimamente, assim como tinha conhecido seus pais e suas mães antes deles — e, de quebra, todos os pequenos problemas familiares. Tinha sua aristocracia, é claro — as antigas famílias de açougueiros, padeiros e não sei que mais, que ocupavam as mesmas velhas propriedades havia quinhentos ou seiscentos anos e conheciam a grande história da ponte, do começo ao fim, e todas as suas estranhas lendas e que sempre falaram o dialeto da ponte e pensaram o pensamento da ponte e viveram sempre de uma longa, plana, direta e sólida maneira pontífera. Era o tipo da população bitolada, ignorante e convencida. As crianças nasciam na ponte, eram criadas ali, chegavam à velhice e finalmente morriam, sem nunca ter pisado noutro lugar do mundo, exceto a Ponte de Londres. Essa gente imaginava naturalmente que a imensa e interminável procissão que passava pela sua rua noite e dia, com seu confuso rumor de gritos e berros, seus relinchos e rugidos e balidos e seu trovejar abafado, era a maior coisa do mundo, e eles mesmos, de alguma forma, os donos daquilo tudo. De fato, eram assim; pelo menos podiam manifestá-lo de suas janelas e o faziam — por deferência — sempre que um rei ou um herói de volta da guerra dava a ela um efêmero esplendor, pois não havia nenhum outro lugar melhor para ver a longa, reta e ininterrupta marcha das colunas dos cortejos.

Os homens nascidos e criados na ponte achavam que a vida em qualquer outro lugar era insuportavelmente estúpida e vazia. A História conta que um deles deixou a ponte aos setenta e um anos e mudou-se para o campo. Mas tudo o que fazia era queixar-se e remexer-se durante o sono; não conseguia dormir, o silêncio profundo era demasiado doloroso, assustador, sufocante. Quando ele por fim se cansou daquilo, voltou correndo para a velha casa, um espectro magro e pálido, e passou a descansar em paz e a ter belos sonhos, ao sabor da música acalentadora das águas balouçantes e do estrondo, do barulho e do estrépito da Ponte de Londres.

No tempo de que estamos falando, a ponte dava "lições objetivas" de História inglesa a suas crianças, ou seja, as cabeças lívidas e deterioradas de homens renomados, espetadas em estacas de ferro no alto dos seus portões. Mas estamos fazendo digressões.

O quarto de Hendon ficava numa hospedaria da ponte. Quando ele chegou à porta com seu pequeno amigo, uma voz áspera lhe disse:

— Até que enfim você apareceu! Desta vez, não me escapa, garanto; vou moer seus ossos até virar pudim e aí talvez você aprenda alguma coisa e não deixe a gente esperando outra vez.

E John Canty esticou a mão para agarrar o garoto.

Miles Hendon pôs-se na frente dele e disse:

— Não tão depressa, amigo. Acho que você é muito estúpido sem necessidade. O que o rapaz tem a ver com você?

— Se não tem mais o que fazer, além de se meter com a vida alheia, fique sabendo que ele é meu filho.

— É mentira! — gritou o pequeno rei, enfurecido.

— Você é corajoso e eu acredito no que diz, esteja sua cabecinha sã ou doente, meu rapaz. Agora se esse valentão é seu pai ou não, dá no mesmo; ele não vai pegar você nem pra bater nem pra abusar, como ameaçou, portanto, acho que você prefere ficar comigo.

— É, prefiro, prefiro. Esse homem, eu não conheço e detesto e prefiro morrer a ter de ir com ele.

— Então está decidido e não tem mais conversa.

— Veremos! — exclamou John Canty, passando por Hendon para agarrar o rapaz. — Ele vai à força, se…

— Se tocar um dedo nele, seu lixo ambulante, eu vou te espetar como se fosse um ganso! — ameaçou Hendon, barrando o caminho e pondo a mão na bainha da espada. Canty recuou. — Agora preste atenção — continuou Hendon —, eu protegi esse menino quando uma multidão parecida com você estava maltratando e quase matando ele; acha que eu vou abandonar ele agora, prum destino ainda pior? Se você é ou não o pai dele — e, diga-se de passagem, acho que é mentira —, uma morte rápida e decente seria melhor pra ele do que viver nas mãos de um bruto como você. Portanto, é melhor ir dando o fora, e bem rápido, porque não gosto muito de ficar jogando conversa fora, por natureza não sou muito paciente.

John Canty saiu resmungando cobras e lagartos e desapareceu, engolido pela multidão. Hendon subiu os três lances de escada até seu quarto, acompanhado de seu protegido, depois de ter encomendado uma refeição. Era uma habitação pobre, com uma cama miserável, poucas peças de mobília velha, parcamente iluminada por um par de fracas velas. O pequeno rei arrastou-se para a cama e lá ficou, quase exausto de fome e cansaço. Caminhara durante boa parte do dia e da noite, pois já eram umas duas ou três horas da manhã e ainda não comera nada. Murmurou sonolento:

— Por favor, me chame quando a mesa estiver posta — e caiu no sono imediatamente.

Um sorriso brilhou nos olhos de Hendon, e ele disse para si mesmo:

— Por Deus, o mendiguinho se acomoda no canto de alguém e se apossa de sua cama de um jeito tão natural e com tanta graça que parece que é o dono, sem nunca dizer "com licença" nem "por favor", nem nada parecido. Em seu delírio, se diz o príncipe de Gales e grudou no personagem pra valer. Coitado do ratinho desamparado! Tenho certeza de que a cabeça dele ficou avariada por causa de maus-tratos. Bom, vou ser amigo dele; fui eu que salvei ele, e isso criou uma ligação forte entre a gente; já estou gostando desse malandrinho atrevido. Parecia um soldado enfrentando aquela multidão suja, e respondeu com uma boa provocação! E que rosto bonito, suave e delicado tem, agora que o sono afastou os problemas e os sofrimentos dele. Vou educar ele e curar essa doença; é, vou ser seu irmão mais velho pra proteger e cuidar dele; quem mexer com ele ou machucar pode ir mandando fazer o caixão, porque vai precisar, nem que me queimem vivo por causa disso!

Hendon inclinou-se sobre o rapaz e ficou olhando para ele com pena e com carinho, batendo ternamente em seu rosto jovem e ajeitando os cachos emaranhados com sua grande mão morena. Um pequeno arrepio estremeceu o corpo do menino. Hendon murmurou:

— Ora, que homem é esse que deixa ele dormindo sem coberta, com perigo de se resfriar? O que é que eu faço? Ele vai acordar se eu tentar levantar ele pra botar debaixo das cobertas e está precisando de sono.

Olhou em volta procurando outro cobertor, mas não achou nenhum; então tirou seu gibão e cobriu o rapaz com ele:

— Estou acostumado com o frio e pouca roupa; não me afeta — depois começou a andar pelo quarto, para cima e para baixo, a fim de manter o sangue em movimento, sempre monologando:

— Essa doença da cabeça faz ele pensar que é o príncipe de Gales; até que vai ser divertido ter um príncipe de Gales com a gente, agora que aquele que *era* o príncipe, não é mais, e sim o rei. Porque essa pobre cabecinha se fixou numa fantasia só e agora não vai entender que precisa se livrar do príncipe e se chamar rei. Se meu pai ainda estiver vivo, depois desses sete anos em que fiquei sem notícias de casa, lá na prisão, no exterior, ele vai receber bem esse garoto e tratar o coitado com generosidade, por mim; e meu bom irmão mais velho, Arthur, também; meu outro irmão Hugh... mas eu quebro a cabeça dele se for contra, aquele coração de raposa, bicho malcriado! É, é pra lá que a gente vai... e bem rápido.

Um criado entrou com uma refeição fumegante, colocou-a sobre uma mesinha de pinho, arrumou as cadeiras e retirou-se, deixando aqueles hóspedes pés-rapados se servir sozinhos. A porta bateu quando ele saiu, e o barulho acordou o rapaz, que se sentou na cama e olhou alegre à sua volta; mas uma expressão tristonha surgiu-lhe no rosto e ele murmurou para si mesmo, com profundo suspiro:

— Ai de mim, era só um sonho, pobre de mim.

Aí viu o gibão de Miles Hendon, olhou dele para Hendon, compreendendo o sacrifício que fizera por ele, e disse gentilmente:

— Você é bom para mim; é, você é muito bom para mim. Pegue e vista; não vou mais precisar dele.

Depois se levantou e caminhou até a pia, num canto, e ficou parado ali, esperando. Hendon disse, animado:

— Vamos ter um belo jantarzinho agora, pode ter certeza; está tudo quente e gostoso e isso, mais a soneca que você tirou, vai te fazer um homenzinho de novo!

O menino não respondeu, mas lançou um olhar firme, surpreso e um tanto impaciente para o alto cavaleiro da espada. Hendon ficou confuso e perguntou:

— Está faltando alguma coisa?

— Bom senhor, eu gostaria de me lavar.

— Ora, mas é só isso?! Não tem de pedir licença a Miles Hendon pra fazer o que precisa. Fique bem à vontade aqui e seja bem-vindo; a casa é sua.

O menino continuou parado — e mais, impaciente, bateu o pé uma ou duas vezes. Hendon estava completamente perplexo. E quis saber:

— Deus nos ajude, que é agora?

— Por favor, coloque a água e não fale tanto!

— Por todos os santos, mas isso é fantástico! — disse Hendon para si mesmo, contendo a gargalhada e indo atender às pressas a ordem do pequeno insolente; depois parou, meio atordoado, até que um "Vamos, a toalha!" o despertou.

Pegou uma toalha que estava embaixo do nariz do menino e entregou a ele, sem comentários. Começou então a refrescar seu próprio rosto com uma lavada e, enquanto estava nisso, seu filho adotivo sentou-se à mesa e preparou-se para comer. Hendon lavou-se vigorosamente, depois puxou a outra cadeira e já ia se sentar, quando o menino disse, indignado:

— Cuidado! Você ia sentar-se na presença do rei?

Esse golpe abalou as estruturas de Hendon, que murmurou consigo mesmo:

— Puxa, a doença desse coitado acompanha as notícias! Mudou com a grande alteração que aconteceu no reino, e agora ele acha que é o *rei*! Meu Deus, preciso fazer de conta que acredito, não tem outro jeito... senão ele me manda pra Torre!

E, divertindo-se com a brincadeira, tirou a cadeira da mesa, ficou em pé atrás do rei, para servir às suas ordens, da maneira mais cortês possível.

Enquanto o soberano comia, o rigor de sua dignidade real relaxou um pouco e, ficando mais satisfeito, sentiu vontade de conversar.

— Parece que você se chama Miles Hendon; ouvi direito?

— Sim, senhor — respondeu Miles; depois comentou consigo mesmo: — Se *vou ter de* lidar com a loucura desse pobre rapaz, deverei dizer "sim, senhor" e "majestade", sem deixar a coisa pela metade, nem errar meu papel, senão vou acabar representando mal e prejudicando essa causa tão caridosa.

O rei esquentou o coração com uma segunda taça de vinho e disse:

— Gostaria de conhecê-lo... Conte-me sua história. Você tem um jeito galante e nobre... é nobre?

— Somos do rabinho da nobreza, majestade. Meu pai é baronete, um dos lordes menores, na ordem dos cavaleiros*, *sir* Richard Hendon, da casa Hendon, perto de Monk´s Holm, Kent.

— O nome me escapa da memória. Continue... conte-me sua história.

— Não é grande coisa, majestade, mas pode, talvez, tomar uma meia hora, na falta de algo melhor. Meu pai, *sir* Richard, é muito rico e generoso. Minha mãe morreu quando eu ainda era pequeno. Tenho dois irmãos: Arthur, o mais velho, de alma parecida com a de meu pai; e Hugh, mais novo que eu, e espírito mesquinho, ganancioso, traiçoeiro, manhoso, desleal... um réptil. É assim desde o berço; era assim há dez anos, quando nos vimos pela última vez... velhaco já maduro aos deze-

---

* Ele refere-se à ordem dos baronetes — os *barones minores*, diferentes dos barões do Parlamento — e não aos baronetes criados depois.

nove anos; eu tinha então vinte e Arthur, vinte e dois. Não há mais ninguém na família, a não ser lady Edith, minha prima... Tinha dezesseis anos na época... Bonita, gentil, boa, filha de conde, última de sua família, herdeira de grande fortuna e de um título que perdeu o valor. Meu pai era seu guardião. Eu amava Edith e ela me amava, mas fora prometida a Arthur desde o berço, e *sir* Richard não ia deixar a promessa ser quebrada. Arthur amava outra moça e pediu que a gente não desanimasse nem perdesse a esperança, pois o tempo e a sorte, juntos, podiam, um dia, acabar dando uma boa solução para nossas duas causas. Hugh amava o dinheiro de *lady* Edith, apesar de dizer que era a ela que amava; mas isso sempre foi típico dele, falar uma coisa querendo dizer outra. Mas desperdiçou sua malícia com a moça; podia enganar meu pai, mas ninguém mais. Meu pai gostava mais dele que de todos nós e confiava e acreditava nele, porque era o filho mais novo, que os outros odiavam... E essas coisas, em qualquer época, sempre bastam para conquistar a preferência de um dos pais; e ele tinha fala mansa e sedutora, e grande dom para a mentira. E são essas coisas que levam uma afeição cega a se iludir. Eu era moleque... posso até ir mais longe e dizer *muito* moleque, mas era um tipo de molecagem inocente, pois não ofendia a ninguém, a não ser a mim mesmo, não envergonhava a ninguém, não prejudicava, nem tinha nada de criminoso nem de mesquinho, nem de qualquer outra coisa indigna de minha condição de nobre.

Mesmo assim, Hugh, vendo que a saúde de nosso irmão Arthur era fraca, aproveitou-se desses defeitos, procurando beneficiar-se do pior, se conseguisse me afastar do caminho... Mas é uma longa história, meu bom senhor, e não vale a pena contar. Resumindo: esse irmão conseguiu exagerar meus defeitos, transformando tudo em crime e, para encerrar essa maldade toda, encontrou uma escada de corda de seda no meu quarto (colocada lá por ordem dele) e, assim, convenceu meu pai, subornando provas com os servos e outros malandros mentirosos, de que eu pretendia raptar minha Edith e casar com ela, desafiando assim a vontade dele.

Três anos expulso de casa e da própria Inglaterra haviam de fazer de mim um soldado e um homem e me ensinar alguma coisa, disse meu pai. Suportei longa provação nas guerras do continente, experimentei boa dose de golpes duros, de privação e aventuras; mas em minha última batalha fui capturado e, durante os sete anos que se seguiram, uma prisão estrangeira é que foi a minha casa. Com esperteza e coragem, finalmente consegui me livrar, fugi direto pra cá e acabei de chegar, com pouco dinheiro e pouca roupa e mais pobre ainda por não saber o que esses sete anos fizeram com a casa Hendon, com as pessoas e com suas coisas. E, se lhe agrada, senhor, esta é a minha pobre história.

— Você foi vergonhosamente prejudicado! — disse o pequeno rei, com os olhos brilhando. — Mas eu vou recompensá-lo, juro pela cruz! É a palavra do rei!

Então, inflamado pela história dos enganos de Miles, ele soltou a língua e despejou a história de seus recentes infortúnios nos ouvidos do assombrado ouvinte.

Quando terminou, Miles disse a si mesmo:

— Puxa, que imaginação ele tem! Não é uma cabeça comum, não; pelo contrário, doente ou sadia, não seria capaz de inventar do nada uma história tão ordenada e com tantas peripécias como essa, que até parece romance. Pobre cabecinha doente, não vai ficar sem amigo, nem ajuda enquanto eu estiver vivo. Ele nunca vai sair de meu lado; será meu mascote, meu companheirinho. E vai sarar! É, vai ficar são e salvo; e então poderá fazer nome, e eu direi, orgulhoso: É, ele é meu... Fui eu que peguei o pequeno maltrapilho abandonado, enxerguei o valor dele e disse que um dia ainda seria famoso... Olhem para ele e vejam... Eu não tinha razão?

O rei ponderou:

— Você me salvou da injúria e da vergonha, talvez tenha salvado minha vida e, portanto, a coroa. Esse serviço merece boa recompensa. Diga o que deseja e, se estiver dentro das possibilidades do rei, será concedido.

Essa fantástica sugestão tirou Hendon de seus devaneios. Estava para agradecer ao rei e deixar o assunto de lado, alegando não ter feito mais que sua obrigação e que não queria nenhuma recompensa, quando lhe ocorreu uma ideia sensata; ele pediu tempo para estudar o generoso oferecimento, e o rei aprovou, muito sério, salientando que era melhor mesmo não ser muito apressado com algo tão importante.

Miles refletiu alguns momentos e depois disse a si mesmo:

— É, é isso mesmo que eu tenho de fazer; de qualquer forma, vai ser impossível conseguir, e, na verdade, a hora que passou me ensinou que vai ser muito cansativo e inconveniente continuar assim. É, é isso que vou propor; ainda bem que não desperdicei a chance.

Depois, dobrou um joelho no chão e disse:

— Meus pobres serviços não foram mais que o simples dever de um súdito e, portanto, não têm nenhum mérito, mas já que sua majestade se digna achar que merecem alguma recompensa, tomo a liberdade de fazer um pedido. Há uns quatrocentos anos, como vossa graça bem sabe, havendo uma disputa sangrenta entre João, o rei da Inglaterra, e o rei da França, foi decretado que dois cavaleiros deviam se enfrentar nas liças e, assim, acabar com a disputa por meio do que se chama arbitragem de Deus. Esses dois reis e o da Espanha se reuniram para testemunhar e julgar o combate, quando apareceu o cavaleiro francês; mas era tão terrível que nossos cavaleiros ingleses se recusaram a medir forças com ele. Portanto, a questão, que era da maior importância, estava para ser resolvida contra o monarca inglês, por omissão. Mas, na Torre, estava preso o lorde De Courcy, o maior guerreiro da Inglaterra, destituído de suas honrarias e riquezas e sofrendo longo cativeiro. Apelaram pra De Courcy; ele aceitou e foi solto e armado para a batalha; mas, assim que o francês viu sua enorme figura e ouviu seu famoso nome, fugiu, e a causa do rei francês é que foi derrotada. O rei João devolveu os títulos e as possessões de De Courcy e declarou: — Diga o que deseja e eu concederei, mesmo que me custe metade de meu reino; — De Courcy, ajoelhado como estou agora, respondeu: — Então, meu senhor, é isto que peço; que eu e meus sucessores possamos ter e manter o privilégio de ficar com a cabeça coberta na presença dos reis da Inglaterra, enquanto perdurar o trono. — O pedido foi concedido, como vossa majestade bem sabe; e em nenhum momento, nesses quatrocentos anos, a família deixou de ter herdeiro; assim, até hoje, o chefe dessa antiga família fica com o chapéu ou com o elmo na cabeça, em presença da majestade do rei, sem nenhum impedimento, e isso ninguém mais pode fazer*. Invocando esse precedente, para justificar meu pedido, só peço ao rei que me satisfaça a seguinte graça e privilégio — para mim, um presente mais do que suficiente, e apenas isso: que eu e meus herdeiros possamos sempre *sentar-nos* na presença da majestade da Inglaterra!

— Levante-se, *sir* Miles Hendon, cavaleiro — disse o rei gravemente, fazendo a mesura com a espada de Hendon. — Levante-se e sente-se. Seu pedido foi concedido. Enquanto a Inglaterra existir e a coroa perdurar, o privilégio será mantido.

Sua majestade afastou-se pensativo, e Hendon sentou-se numa cadeira, perto da mesa, e refletiu consigo mesmo:

---

* Os lordes de Kingsdale, descendentes de De Courcy, ainda se beneficiam desse curioso privilégio.

— Foi uma bela ideia e me dá grande liberdade; minhas pernas estão muito cansadas. Se não houvesse pensado nisso, teria de permanecer de pé por semanas a fio, até o rapaz ficar curado. — Depois de uma pausa, continuou: — E assim me tornei cavaleiro do Reino dos Sonhos e das Sombras! Posição bem engraçada e estranha pra alguém tão prosaico como eu. Não vou rir... não, Deus me livre, porque esse fato, tão sem importância pra mim, é *real* pra ele. E pra mim também, de certa forma, não é mentira, porque reflete de verdade o doce e generoso espírito que ele tem. — E, depois de outra pausa: — Ah, e se ele me chamar pelo meu nobre título na frente das pessoas! Vai ser um contraste engraçado entre minha glória e minha roupa! Não importa; deixa ele me chamar como quiser, se ele ficar contente, eu também ficarei.

XIII

O desaparecimento do príncipe

Uma pesada sonolência caiu então sobre os dois companheiros. O rei ordenou:

— Tire estes trapos — referindo-se à própria roupa.

Hendon despiu o menino, sem reclamar nem dizer nada, colocou-o na cama, depois deu uma olhada no quarto e disse para si mesmo, pesaroso:

— Ele se apossou de novo de minha cama; e aí? Que é que *eu* vou fazer?

O pequeno rei percebeu a perplexidade de Hendon e esclareceu com poucas palavras. Disse, sonolento:

— Você vai dormir encostado na porta, para ficar de guarda.

Em seguida, já estava longe dos problemas, num sono pesado.

— Coitadinho, ele devia mesmo ter nascido rei! — murmurou Hendon com admiração. — Representa o papel às mil maravilhas.

Esticou-se no chão, atravessado na porta, e disse satisfeito:

— Durante sete anos enfrentei coisa pior; seria ingratidão com Aquele que está no céu reclamar disto aqui.

Já estava amanhecendo quando adormeceu. Por volta do meio-dia, levantou-se, afastou, aos poucos, as cobertas do protegido desacordado e tirou as medidas dele com um barbante. O rei acordou assim que ele terminou, reclamou do frio e perguntou o que estava fazendo.

— Já está feito, meu senhor — respondeu Hendon. — Tenho um assunto pra resolver na rua, mas volto logo; durma de novo... está precisando. Vamos... deixe eu cobrir também a cabeça... assim vai esquentar mais depressa.

O rei regressou ao país do sonho antes de ele terminar de falar. Miles voltou, tão furtivamente quanto saíra, trinta ou quarenta minutos depois, trazendo para o menino uma vestimenta completa, de segunda mão, de tecido barato, mas arrumada e própria para aquela estação do ano. Sentou-se e começou a examinar a compra, murmurando para si mesmo:

— Uma carteira maior teria comprado coisa melhor, mas, quando a carteira não é grande, a gente tem de se contentar com o que pode conseguir com a menor:

"Havia uma mulher em nossa cidade
Em nossa cidade ela morava..."

— Acho que ele se mexeu. Tenho de cantar mais baixo; não é bom incomodar seu sono, com a viagem que nos espera, e ele tão cansado, coitado. Esta roupa... até que está boa... um ponto aqui, outro ali, e vai ficar como nova. Esta outra está melhor, mas uns dois ou três pontos nunca é demais. *Estes* aqui estão muito bons e novos e vão deixar os pezinhos dele quentes e secos... vai ser estranho e tanto pra ele, claro, que deve estar acostumado a andar descalço, inverno e verão. Que bom seria se linha fosse pão, aí qualquer um tinha o suficiente prum ano por um tostão e uma agulhona desta sem custo nenhum, por puro amor. Agora vai ser o diabo pra enfiar a linha!

E foi mesmo. Ele fez como os homens sempre fizeram e provavelmente sempre farão, até o fim dos tempos... ficar com a agulha parada e tentar enfiar a linha pelo buraco, que é o oposto do que as mulheres fazem. A cada tentativa, a linha errava o buraco, indo ora para um lado da agulha, ora para o outro, ora ainda dobrando-se contra a haste; mas ele era paciente, já tinha passado por essa experiência antes, quando era soldado. Até que finalmente conseguiu e pegou a peça de roupa que ficara esperando esse tempo todo, colocou no colo e começou a trabalhar.

— A hospedaria está paga... o café da manhã, que já vai chegar, também está incluído... e ainda sobrou algo para comprar um par de burricos e enfrentar as pequenas despesas dos dois ou três dias que nos separam da fartura que está esperando a gente na casa Hendon:

"Ela amava seu ma..."

— Ai, ai, ai! Enfiei a agulha debaixo da unha! Não tem importância... não é a primeira vez... mas também não é nenhuma vantagem. Vamos ser felizes lá, pequenino, não tenha dúvida! Seus problemas vão acabar, assim como sua triste doença:

"Ela amava seu marido com ternura,
Mas um outro homem..."

— Estes pontos estão bem grandes! — disse, segurando a roupa e admirando o trabalho. — Têm grandeza e majestade e, perto deles, esses pontinhos do alfaiate ficam bem insignificantes e vulgares:

"Ela amava seu marido com ternura,
Mas outro homem amava ela também…"
— Graças a Deus, está feito… e muito bem-feito. Até que foi bem rápido. Agora vou acordar o menino, vestir ele, servir o chá, dar de comer, e depois temos de correr pra chegar ao mercado, perto da hospedaria do Tabardo, em Southwark e… tenha a bondade de se levantar, meu senhor!… ele não respondeu… vamos lá, meu senhor!… acho que vou ter de profanar sua sagrada pessoa com o toque de minha mão, já que seu sono é tão surdo às minhas palavras. O quê!

Ele afastou as cobertas; o menino tinha desaparecido!

Olhou em volta por um momento, mudo de espanto, e notou, pela primeira vez, que as roupas rasgadas de seu protegido também não estavam lá; depois começou a ficar com raiva e gritou e berrou pelo estalajadeiro. Nesse momento, um criado entrou com o café da manhã.

— Vá se explicando, seu demônio, senão chegou a sua hora! — rugiu o guerreiro, saltando tão selvagem pra cima do camareiro, que este não conseguiu falar nada, por um momento, mudo de medo e de espanto. — Onde está o menino?

Com palavras desconjuntadas e trêmulas, o homem deu a informação desejada:

— O senhor tinha acabado de sair daqui, milorde, quando veio um moço correndo e disse que o senhor tinha pedido pro menino ir encontrar com o senhor imediatamente, no fim da ponte, do lado de Southwark. Eu trouxe ele até aqui em cima, ele acordou o rapaz e deu o recado, o rapaz reclamou um pouco por estar sendo acordado "tão cedo", como disse, mas vestiu os trapos na mesma hora e saiu com o moço, dizendo que teria sido mais bem-educado se o senhor, milorde, tivesse vindo pessoalmente, em vez de mandar um estranho; e, aí…

— E aí você é uma besta: uma besta muito fácil de enganar; maldita seja toda a sua raça! Talvez ainda não tenha acontecido o pior. Talvez ainda não tenham machucado o menino. Vou atrás dele. Ponha a mesa, rápido. Pare! A coberta da cama estava arrumada pra aparecer que tinha alguém embaixo; foi por acaso?

— Não sei, milorde. Vi o moço mexendo nela… o que veio buscar o menino.

— Com mil diabos! Me enganaram… claro que fizeram isso pra ganhar tempo. Escute aqui! O moço estava sozinho?

— Estava, milorde.

— Tem certeza?

— Tenho, milorde.

— Espreme esse seu miolo mole… pense bem… vá com calma, homem.

O criado pensou um pouco e disse:

— Quando ele chegou, não tinha ninguém com ele; mas agora estou lembrando que, quando os dois pararam no meio da multidão da ponte, um homem mal-encarado apareceu de algum lugar ali por perto; e, quando eles iam se encontrar…

— *Então*? Que foi que aconteceu? Desembucha! — rugiu o impaciente Hendon, interrompendo.

— Aí eles foram levados pela multidão, e eu não vi mais nada, porque meu patrão me chamou e estava bravo, pois o pernil que um escrevente pediu tinha sido esquecido, mas posso provar, por todos os santos, que *me* culpar por esse esquecimento é como condenar um bebê que ainda nem nasceu pelos pecados dos…

— Fora daqui, idiota! Essa conversa está me deixando louco! Espere! Pra que lado eles foram? Você não pode ficar quieto um pouco? Eles foram pro lado de Southwark?

— Isso mesmo, milorde; pois então, como estava contando daquele maldito pernil, um bebê que ainda nem nasceu não é nem um pouco mais inocente que…

— Você *ainda* está aqui! E ainda falando? Suma, senão eu te esgano!

O criado desapareceu. Hendon foi atrás, passou por ele e mergulhou pelas escadas, pulando dois degraus de cada vez e murmurando:

— Foi aquele bandido desgraçado que disse que o menino era filho dele. Eu te perdi, meu pobre maluquinho… e isso é bem triste… Eu já estava gostando tanto dele! Não! Por todos os santos, não! Perdido *não*, porque vou vasculhar a terra inteira até encontrar ele de novo. Pobre criança, nem tomou o café da manhã, nem eu, mas não estou com fome agora; que os ratos se divirtam com a comida. Rápido, rápido! A ordem é essa!

E ele foi abrindo caminho pela multidão barulhenta de cima da ponte, dizendo muitas vezes para si mesmo, agarrando-se a essa ideia, como se ela fosse particularmente agradável:

— Ele reclamou, mas *foi*… ele foi, é, sim, porque pensou que Miles Hendon estava chamando, que bom menino… nunca faria isso por outra pessoa, tenho certeza.

XIV

"Le roi est mort — vive le roi"

Quando o sol nasceu, naquela mesma manhã, Tom Canty despertou de um sono pesado e abriu os olhos no escuro. Por alguns minutos, ficou deitado em silêncio, tentando analisar seus pensamentos e impressões confusas e tirar alguma espécie de conclusão; de repente, explodiu numa voz enlevada, mas cautelosa:

— Entendi tudo, entendi tudo! Deus seja louvado, finalmente estou acordado! Volta, alegria! Tristeza, vá embora! Ei, Nan! Bet! Pulem fora dessa palha e corram pra cá, que eu vou contar, vocês nem vão acreditar, o sonho mais maluco e mais incrível que os espíritos da noite já inventaram pra deslumbrar de uma vez a alma de um homem! Ei, Nan, estou chamando! Bet!

Uma figura indistinta apareceu a seu lado e uma voz perguntou:

— Gostaria de dar suas ordens?

— Ordens? Oh, coitado de mim, conheço essa voz! Responda... quem sou eu?

— Vossa excelência? Na verdade, ontem à noite, era o príncipe de Gales; hoje, vossa excelência é meu mais nobre senhor, Eduardo, rei da Inglaterra.

Tom enterrou a cabeça entre os travesseiros, choramingando:

— Ai, não era sonho não! Vá descansar, bom senhor; me deixe com minha tristeza.

Tom adormeceu novamente e, dali a pouco, teve este sonho agradável. Sonhou que era verão e estava brincando sozinho numa bela campina, chamada Goodman's Fields, quando um anão, de uns trinta centímetros de altura, com longas costeletas vermelhas e corcunda, apareceu de repente e disse:

— Cave ali, perto daquele toco.

Ele cavou e encontrou doze moedas novinhas... que dinheirão! Mas não era tudo, pois o anão continuou:

— Conheço você. É um garoto bom e digno: seus problemas terão fim, pois o dia da recompensa chegou. Cave sempre aqui, no sétimo dia, e encontrará sempre o mesmo tesouro, doze moedas novinhas. Não conte a ninguém... guarde segredo.

Aí o anão desapareceu, e Tom correu para Offal Court, com a recompensa, dizendo consigo mesmo:

— Toda noite, vou dar uma moeda pro meu pai; ele vai pensar que eu mendiguei, e isso vai alegrar o coração dele, e eu não apanharei mais. O bom padre meu professor vai ganhar uma moeda por semana; mamãe, Nan e Bet, as outras quatro. E isso vai acabar com a fome e os trapos, com o medo e a aflição e com essa vida selvagem.

No sonho, ele chegou à sórdida casa completamente sem fôlego, os olhos brilhando de alegria e gratidão, jogou quatro de suas moedas no colo da mãe e exclamou:

— São pra você! Todas, todinhas! Pra você, pra Nan e pra Bet... e olha que eu ganhei elas honestamente, não mendiguei nem roubei!

A mãe, surpresa e feliz, deu um abraço apertado nele e exclamou:

— Já se faz tarde; vossa majestade gostaria de se levantar?

Oh, não era a resposta que ele esperava! O sonho se fez em pedaços... ele estava acordado.

Abriu os olhos; ricamente vestido, o primeiro lorde do quarto de dormir estava ajoelhado ao lado da cama. A alegria daquele sonho mentiroso se evaporara; o pobre menino reconhecia que ainda era cativo e rei. O quarto estava cheio de cortesãos vestidos com mantos púrpuras — a cor do luto — e de nobres serviçais do monarca. Tom sentou-se na cama, e seu olhar vagou das pesadas cortinas de seda para aquelas pessoas refinadas.

O grave trabalho de vestir-se começara e, um a um, os cortesãos se ajoelharam, prestaram homenagens e manifestaram ao pequeno rei suas condolências pela grande perda, enquanto o trabalho de vesti-lo prosseguia. Para começar, o chefe cavalariço em atendimento pegou uma camisa e passou-a para o primeiro lorde dos perdigueiros, que a passou para o segundo cavalheiro do quarto de dormir, que a passou para o guarda-florestal-chefe da floresta de Windsor, que a passou para o terceiro cavalariço do cachecol, que a passou para o chanceler real do ducado de Lancaster, que a passou para o mestre do guarda-roupa, que a passou para o senhor da Armada Real do Norte, que a passou para o condestável da Torre, que a passou para o chefe camareiro da família real, que a passou para o grão-fraldeiro hereditário, que a passou para o lorde grão-almirante da Inglaterra, que a passou para o arcebispo de Canterbury, que a passou para o primeiro lorde do quarto de dormir, que pegou o que restou dela e a vestiu em Tom. Pobre e confuso rapaz, isso tudo lhe trazia à memória os baldes passados de mão em mão quando havia incêndio.

Toda peça de roupa tinha de passar por esse processo vagaroso e solene; consequentemente, Tom ficou muito cansado com a cerimônia, tão cansado que sentiu uma gratidão quase arrebatadora quando por fim viu que suas longas meias de seda começavam a viagem pela fila e percebeu que aquela história estava para terminar. Mas ficou alegre antes do tempo. O primeiro lorde do quarto de dormir recebeu as meias e estava para colocá-las nas pernas de Tom quando, subitamente, um rubor lhe invadiu as faces e ele logo fez que a coisa voltasse atrás, até as mãos do arcebispo de Canterbury, com um olhar de espanto e um murmúrio:

— Veja, milorde! — E apontava para alguma coisa que havia nas meias.

O arcebispo empalideceu, depois enrubesceu e passou as meias ao lorde grão-almirante, murmurando:

— Veja, milorde!

O almirante passou as meias ao grão-fraldeiro hereditário e mal teve forças para exclamar:

— Veja, milorde!

As meias foram levadas de volta, pela longa fila, até o chefe camareiro da família real, o condestável da Torre, o senhor da Armada Real do Norte, o mestre do guarda-roupa, o chanceler real do ducado de Lancaster, o terceiro cavalariço do cachecol, o guarda-florestal-chefe da floresta de Windsor, o segundo cavalheiro do quarto de dormir, o primeiro lorde dos perdigueiros, sempre acompanhadas daquela exclamação assustada e temerosa:

— Veja! Veja!

Até que finalmente chegaram às mãos do chefe cavalariço em atendimento, que as examinou um pouco e, depois, sussurrou:

— Meu Deus do Céu, um fio corrido! Que o chefe guardador das meias do rei seja mandado para a Torre!

Dito isso, ele apoiou-se nos ombros do primeiro lorde dos perdigueiros, para recobrar as forças abaladas, e ordenou que um novo par de meias, sem nenhum fio corrido, fosse trazido.

Mas tudo acaba, e assim chegou o momento em que Tom Canty conseguiu sair da cama. O funcionário encarregado verteu a água, outro funcionário encarregado fez a lavagem, outro funcionário encarregado estava a postos com a toalha, e, pouco a pouco, Tom se livrava do estágio da limpeza e se preparava para os serviços do cabeleireiro real. Quando finalmente saiu daquelas mãos de mestre, ele se tornou uma figura graciosa e tão bonita que parecia uma menina, com o manto e calções de cetim púrpura e um emplumado barrete púrpura. Com toda a pompa, dirigiu-se então à sala do café da manhã, passando por entre os inúmeros cortesãos; à medida que ia passando, eles se afastavam, deixando o caminho livre e caindo de joelhos.

Depois do café da manhã, Tom foi conduzido, com régia cerimônia, assistida por nobres oficiais e por sua guarda de cinquenta cavalheiros pensionistas, que portavam machados de guerra dourados, à sala do trono, onde deu início à reunião deliberativa sobre os assuntos de Estado. Seu "tio", lorde Hertford, postou-se ao lado do trono para assessorar com sábios conselhos a régia cabeça.

Uma junta de notáveis, nomeados testamenteiros pelo último rei, veio pedir a aprovação de Tom para alguns atos deles... uma quase formalidade, embora não o fosse totalmente, já que ainda não havia protetor. O arcebispo de Canterbury explicou o decreto da junta de testamenteiros para as exéquias do ilustre monarca falecido e terminou com a leitura das assinaturas dos testamenteiros, a saber: o arcebispo de Canterbury, o lorde-chanceler da Inglaterra, lorde William St. John, lorde John Russel, conde Edward de Hertford, visconde John Lisle, bispo Cuthbert de Durham...

Tom não estava mais ouvindo; uma cláusula anterior do documento o deixou muito intrigado. Aí, não aguentou mais e cochichou a lorde Hertford:

— Para que dia mesmo ele disse que o enterro está marcado?

— Dia 16 do próximo mês, meu senhor.

— Que coisa mais esquisita. E ele vai aguentar?

Pobre rapaz, ainda não estava familiarizado com os costumes da realeza; habituara-se a ver os mortos miseráveis da Offal Court despachados de forma muito diferente. Mas lorde Hertford o tranquilizou com uma ou duas palavras.

Um secretário de Estado apresentou a ordem da junta que marcava para o dia seguinte, às onze horas, a recepção dos embaixadores estrangeiros; esperava-se a aprovação do rei.

Tom lançou um olhar indagador para Hertford, que sussurrou:

— Vossa majestade deve mostrar que concorda. Eles vêm apresentar os sentimentos de seus régios senhores pelo grande infortúnio que vossa graça e o reino da Inglaterra acabam de sofrer.

Tom fez como mandaram. Outro secretário começou a ler um preâmbulo referente às despesas do último reinado, que somavam 28000 libras durante os seis meses anteriores — quantia tão elevada que fez Tom Canty suspirar; ele suspirou de novo quando soube que ainda deviam 20000 libras desse montante, e ainda outra vez, quando ficou claro que os cofres do rei estavam quase vazios e seus duzentos servos em dificuldades financeiras, pela falta dos pagamentos a eles devidos. Tom falou com viva preocupação:

— Estamos no mato sem cachorro, sem dúvida. O que vamos ter de fazer é mudar para uma casa menor e dispensar os criados, já que eles só servem para estorvar e perturbar, com essas cerimônias que cansam o espírito e envergonham a alma e só servem mesmo para boneca, que não tem miolos nem mãos para se virar sozinha. Me lembro de uma casa pequena que fica pertinho do mercado de peixes, ali em Billingsgate...

Um apertão no braço de Tom fez com que ele enrubescesse e parasse de falar bobagens; mas nenhuma expressão ali traía sinal algum de que aquele estranho discurso tivesse sido notado ou levado em consideração.

Um secretário relatou que como o falecido rei tinha determinado em seu testamento que fosse conferido o grau ducal a Hertford e que seu irmão, *sir* Thomas Seymour, fosse promovido à nobreza e também o filho de Hertford recebesse um condado, além de promoções similares para outros grandes servidores da Coroa, a junta resolvera marcar para o dia 16 de fevereiro a entrega e a confirmação dessas honras; e que, nesse meio-tempo, como o falecido rei não tinha concedido por escrito os meios necessários para arcar com essas honrarias, a junta, conhecendo sua vontade pessoal quanto a essa questão, julgou adequado conceder "500 libras de terras" a Seymour e "800 libras de terras e 300 libras das terras vizinhas do bispo, que deviam estar vagas", ao filho de Hertford*, se fosse do agrado de sua atual majestade. Tom já ia deixar escapar alguma coisa sobre quão mais correto seria pagar as últimas dívidas do rei antes de esbanjar todo esse dinheiro, mas um cutucão oportuno do cauteloso Hertford em seu braço impediu mais essa indiscrição, e ele por fim deu seu assentimento, sem nenhum comentário,

---

* Hume.

mas com grande mal-estar. Enquanto refletia sobre a facilidade com que estava realizando estranhos e estonteantes milagres, ocorreu-lhe uma brilhante ideia: por que não promover sua mãe a duquesa da Offal Court e dar-lhe uma propriedade? Mas um triste pensamento varreu o outro imediatamente: ele era rei só no nome, aqueles circunspectos senhores e grandes nobres eram seus superiores; para eles, sua mãe era apenas a criação de uma mente doentia; simplesmente ouviriam sua proposta com ouvidos incrédulos e depois chamariam o médico.

O trabalho maçante prosseguia. Foram lidas petições e proclamações, patentes e toda a sorte de relatórios palavrosos, repetitivos e cansativos, referentes aos negócios públicos; por fim, Tom suspirou pateticamente e murmurou para si mesmo:

— No que devo ter ofendido a meu bom Deus, para ele me tirar dos campos e do ar livre e do sol e me prender aqui e me tornar rei e me fazer sofrer tanto?

Depois, sua cabeça atrapalhada oscilou um pouco e pendeu sobre o ombro, e os assuntos do império foram suspensos, na falta daquele fator augusto, o poder confirmador. Um silêncio se instalou em volta daquela criança adormecida, e os sábios do reino suspenderam as deliberações.

Pouco antes do almoço, com a permissão de seus guardiões, Hertford e St. John, Tom passou uma hora agradável com *lady* Elizabeth e a pequena *lady* Jane Grey, apesar de a disposição das princesas não ser lá das melhores, por causa do grande golpe que a casa real sofrera; no fim da visita, sua "irmã mais velha" — futura "rainha sanguinária" — o deixou deprimido com uma conversa solene que, a seu ver, só teve um mérito: a brevidade. Ainda sobrava tempo para si mesmo, e então um menino de uns doze anos foi admitido à sua presença; suas roupas, com exceção da gola branca franzida e das rendas nos pulsos, eram todas pretas — gibão, meias, tudo. Não usava nenhum sinal de luto, a não ser um laço de fita púrpura no ombro. Chegou hesitante, cabeça baixa e descoberta, e curvou-se sobre um dos joelhos, diante de Tom, que ficou sentado, imóvel, e o olhou seriamente por algum tempo. Depois, disse:

— De pé, rapaz. Quem é você? Que deseja?

O menino levantou-se, à vontade, mas com expressão preocupada no rosto. Respondeu:

— O senhor, com certeza, se lembra de mim, milorde. Sou seu bode expiatório.

— Meu bode expiatório?

— Isso mesmo, majestade. Me chamo Humphrey... Humphrey Marlow.

Tom percebeu que ali estava alguém que seus guardiões tinham mandado para testá-lo. A situação era delicada. Que devia fazer? Fingir que conhecia o menino e depois se trair a cada momento, já que nunca ouvira falar dele antes? Não, assim não ia dar. Para seu sossego, teve uma ideia: fatos como esse estavam para acontecer com frequência cada vez maior, agora que os negócios urgentes iam afastar muitas vezes Hertford e St. John do seu lado, pois eram membros da junta dos testamenteiros; talvez fosse bom, portanto, que ele montasse seu próprio plano para enfrentar esse tipo de situação. Sim, era uma boa saída; podia testar com aquele menino e avaliar como se sairia. Arqueou as sobrancelhas, perplexo por algum momento, e disse:

— Agora parece que me lembro um pouco de você, mas minha memória está bloqueada e fraca pelos sofrimentos...

— Sinto muito, meu pobre senhor! — exclamou o bode expiatório sinceramente, pensando consigo mesmo: "Na verdade, é bem como eles dizem... sua memória apagou-se; oh! coitado! Mas a tristeza me distraiu, como pude esquecer! Eles disseram que ninguém pode demonstrar que percebe o que há de errado com ele".

— Estranho como a memória anda me pregando peças ultimamente — disse Tom. — Mas não ligue, estou melhorando depressa, pequenas pistas sempre servem para me trazer de volta as coisas e os nomes que me escaparam. (E não só isso, na verdade, mas também nomes que eu nunca ouvi antes... como esse menino vai perceber.) Diga a que veio.

— Não é nada muito importante, meu senhor, mas mesmo assim vou falar, se vossa majestade quiser. Há dois dias, quando faltou três vezes às aulas de grego, pela manhã... se lembra disso?

— S-i-m... acho que lembro. (Não é bem mentira... se eu tivesse alguma coisa que ver com grego, não teria faltado só três vezes, mas quarenta.) Sim, agora me lembro; continue.

— O mestre, furioso com o que ele chamou de trabalho relaxado e estúpido, prometeu que ia me bater muito por causa disso e...

— Bater em você!? — disse Tom, perdendo a presença de espírito por causa da surpresa. — Por que ele haveria de bater em *você* por erros que eu cometi?

— Ora, vossa majestade esqueceu outra vez. Ele sempre me castiga quando o senhor não faz as lições direito.

— É mesmo, é verdade... tinha me esquecido. Você me dá aulas particulares; então, se eu erro, ele diz que seu trabalho foi malfeito e...

— Oh, meu senhor, isso é jeito de falar? Eu, o mais humilde de seus servos, pretender ensinar ao *senhor*?

— Então, que culpa você tem? Que mistério é esse? Será que estou ficando louco de verdade, ou será que é você? Explique-se...

— Mas, majestade, não há o que explicar. Ninguém pode atacar a sagrada pessoa do príncipe de Gales; portanto, quando comete erros, sou eu que pago por eles; está certo assim, porque esse é meu trabalho e meu ganha-pão*.

Tom ficou olhando o menino tranquilamente, enquanto refletia consigo mesmo: "Vejam só, que coisa espantosa... uma profissão bem estranha e curiosa; me surpreende que eles não tenham alugado um garoto para ser penteado e vestido em meu lugar... que bom seria!... se eles fizessem isso, eu mesmo levava minhas chicotadas e dava graças a Deus pela troca". Depois disse em voz alta:

— E você apanhou, pobre amigo, como foi prometido?

— Não, majestade, meu castigo foi marcado para hoje e talvez seja anulado, por ser inconveniente neste momento de luto para todos nós; não sei de nada, por isso me atrevi a vir à sua presença e lembrar vossa majestade da generosa promessa de interceder a meu favor...

— Diante do mestre? Para livrar você da surra?

— Oh, vossa majestade se lembra!

— Minha memória está melhorando, como pode ver. Fique calmo, você não será espancado; vou tratar disso.

— Oh, muito obrigado, meu bom senhor! — exclamou o menino, de joelhos outra vez. — Talvez eu já tenha ido longe demais; mas mesmo assim...

Vendo que Humphrey hesitava, Tom o encorajou a continuar, dizendo que estava "disposto a ser generoso".

— Então vou falar, pois está me apertando o coração. Já que o senhor não é mais o príncipe de Gales, mas o rei, pode dar as ordens que quiser e ninguém ousará dizer nada; portanto, já não há razão para se aborrecer com estudos maçantes, pode queimar os livros e se interessar

---

* Jaime I e Carlos II, quando pequenos, tinham bodes expiatórios, que sofriam os castigos por eles, se não faziam direito suas lições; assim, me permiti fornecer um a meu pequeno príncipe, por motivos pessoais.

por coisas menos aborrecidas. E aí eu vou ficar na miséria e minhas irmãs órfãs também!

— Na miséria? Como assim?

— Meu lombo é meu pão, ó meu bom senhor. Se ele fica sem fazer nada, eu morro de fome. Se o senhor parar de estudar, meu posto desaparece, o senhor não vai mais precisar de bode expiatório. Não me mande embora!

Tom ficou comovido com essa patética aflição. E, num perfeito rasgo de generosidade real, disse:

— Não se preocupe mais, garoto. Seu posto será permanente para você e seus descendentes, para sempre. — Depois, tocou levemente o ombro do menino com a espada e ordenou: — Levante-se, Humphrey Marlow, grão-bode expiatório hereditário da casa real da Inglaterra! Afaste a tristeza! Vou voltar aos livros e estudar como louco para que eles tripliquem merecidamente seu soldo, de tanto que o trabalho de seu posto vai aumentar.

Agradecido, Humphrey respondeu fervoroso:

— Obrigado, ó meu nobre senhor; sua generosidade principesca ultrapassa de longe meus mais loucos sonhos de riqueza. Agora vou ser feliz para sempre, e toda a casa de Marlow depois de mim.

Tom fora esperto o bastante para perceber que ali estava alguém que lhe podia ser útil. Encorajou Humphrey a falar, o que ele fez de boa vontade. Sentia-se feliz por acreditar que estava ajudando na "cura" de Tom, pois logo que acabava de contar suas experiências e aventuras na escola da corte ou em algum outro lugar do palácio, avivando a fraca memória de Tom, notava que ele era capaz de "lembrar" das circunstâncias com bastante clareza. Depois de um hora, Tom achou que estava bem provido de várias informações valiosas sobre personagens e assuntos da corte, e resolveu colher dados diariamente daquela fonte; com essa finalidade, ordenou que admitissem Humphrey em seu gabinete, sempre que ele pudesse vir, a menos que a majestade da Inglaterra estivesse despachando com outras pessoas. Humphrey acabara de sair quando lorde Hertford chegou com mais problemas para Tom.

Informou que os lordes da junta, temerosos de que alguma notícia exagerada sobre o estado de saúde do rei vazasse e se espalhasse, julgaram melhor e mais prudente que sua majestade começasse a jantar em público, dali a um ou dois dias... sua integridade física e seu andar vigoroso, somados a uma serenidade cuidadosamente mantida nas maneiras, no porte desembaraçado e gracioso, certamente iriam tranquilizar a opinião pública mais do que qualquer outro esquema que pudesse ser montado, caso algum rumor mal-intencionado *tivesse* vazado.

Em seguida e delicadamente, o conde começou a instruir Tom sobre o comportamento adequado em ocasiões oficiais, sob o conveniente disfarce de "lembrar" a ele coisas que já eram de seu conhecimento; mas, para seu grande alívio, concluiu que o garoto precisava de muito pouca ajuda nesse campo: é que ele estava usando Humphrey para esse fim, e este lhe informara que, dentro de poucos dias, Tom começaria a jantar em público, conforme ficara sabendo pelos cochichos da corte. Tom, porém, guardara segredo.

Percebendo que a memória do soberano fazia tantos progressos, o conde resolveu testá-la, de forma aparentemente casual, para saber quanto tinha melhorado. Os resultados foram ótimos, em alguns aspectos... com a ajuda de Humphrey; mas, no geral, Hertford ficou muito satisfeito e encorajado. Tão encorajado que não se conteve:

— Agora estou convencido de que se vossa majestade puxar um pouquinho mais pela memória, ficará esclarecido o episódio do grande sinete... que ontem tinha grande importância, embora hoje não tenha nenhuma, já que seu prazo de validade expirou com a vida de nosso falecido senhor. Vossa majestade gostaria de tentar?

Tom ficou boiando... um grande sinete era algo de que estava totalmente por fora. Depois de certa hesitação, olhou inocentemente e perguntou:

— Como é que ele é, milorde?

O conde começou a murmurar quase que imperceptivelmente para si mesmo:

— Coitado! Está fora de si outra vez! Não foi boa ideia fazê-lo esforçar-se. — Depois, com habilidade, voltou a falar de outros assuntos, tentando apagar o infeliz sinete dos pensamentos de Tom... o que conseguiu com facilidade.

XV

Tom rei

No dia seguinte, vieram os embaixadores estrangeiros, com suas suntuosas comitivas; e Tom, augustamente entronizado, os recebeu. No início, os esplendores da cena deliciaram-lhe os olhos e incendiaram-lhe a imaginação, mas a audiência foi longa e monótona, assim como a maioria dos discursos; portanto, o que começou prazeroso logo se tornou cansativo e provocou saudades de casa. Tom dizia as palavras que Hertford de quando em quando ia lhe colocando na boca e tentou seriamente se sair bem, mas era demasiado inexperiente naqueles assuntos e estava muito pouco à vontade para conseguir mais que um resultado tolerável. Ele até que tinha aparência de rei, mas não era capaz de sentir-se como rei de verdade. Ficou muito contente quando a cerimônia terminou.

A maior parte de seu dia fora "desperdiçada" (como ele próprio a definiu para si mesmo) em atividades pertinentes à sua posição de soberano. Mesmo as duas horas dedicadas a alguns passatempos e diversões principescas foram-lhe mais enfadonhas do que qualquer outra coisa, entravadas por restrições e obrigações cerimoniais. Entretanto, esteve, durante uma hora, em audiência privada com seu bode expiatório, o que foi muito proveitoso, pois ele se divertiu ao mesmo tempo que obteve informações muito necessárias.

O terceiro dia do reinado de Tom Canty chegou e passou da mesma maneira como os outros, mas, de certa forma, as nuvens tinham se dissipado: sentia-se mais à vontade que a princípio; começava a adaptar-se às circunstâncias e ao ambiente; o cativeiro ainda incomodava, mas não o tempo inteiro; sentia que a presença e a homenagem dos grandes o embaraçavam e o angustiavam sempre menos a cada hora que se passava.

Não fosse por um único detalhe pavoroso — o jantar em público, que devia começar naquele dia —, ele podia esperar pela chegada do quarto dia sem nenhuma aflição mais séria. Havia compromissos importantes na agenda, pois naquele dia deveria presidir o conselho que implementaria seus objetivos e decisões sobre a política externa com várias nações, próximas ou distantes, de quase todo o orbe; também naquele dia, Hertford seria formalmente escolhido para o importante cargo de lorde-protetor; outros assuntos de peso estavam na pauta desse quarto dia, mas, para Tom, eram insignificantes, se comparados com a penosa experiência de jantar na companhia de uma multidão de olhos curiosos grudados nele e de uma multidão de bocas cochichando comentários acerca de seu comportamento... e de suas gafes, se ele tivesse a infelicidade de cometer alguma.

Nada, no entanto, podia impedir a chegada daquele quarto dia, e assim aconteceu. Encontrou o pobre Tom abatido e absorto, e nesse estado de espírito continuou. As obrigações matinais diárias se arrastavam e o atormentavam. Mais uma vez sentia o peso do cativeiro.

Pouco antes do almoço, estava numa grande sala de audiências conversando com Hertford e esperando, desanimado, a visita protocolar de considerável número de oficiais e nobres.

Instantes depois, ao espiar por uma janela, interessado no burburinho e na animação de uma grande avenida para além dos portões do palácio (e não pouco interessado, mas desejando de todo o coração envolver-se naquele turbilhão de liberdade), Tom viu o começo de uma aglomeração desordenada de homens, mulheres e crianças, da classe mais baixa e mais pobre, que vaiavam e gritavam enquanto subiam pela rua.

— Gostaria de saber o que é que está acontecendo! — exclamou com toda a curiosidade de uma criança em tais circunstâncias.

— Você é o rei! — respondeu solenemente o conde, fazendo reverência. — Tenho a permissão de vossa graça para agir?

— Ora, claro que sim! Claro que sim! — disse Tom excitado, completando para si mesmo, com vivo sentimento de satisfação: — Na verdade, ser rei não é só desventuras; também tem suas vantagens e compensações.

O conde chamou um pajem e o encaminhou ao capitão da guarda com a seguinte ordem:

— Faça a multidão parar e pergunte qual o motivo dessa agitação. Por ordem do rei!

Em segundos, uma longa coluna da guarda real, em brilhantes armaduras de aço, atravessou os portões e se colocou em formação na rua, diante da multidão. Um mensageiro voltou com a notícia de que o povo estava seguindo um homem, uma mulher e uma menina, que iam ser executados por crimes cometidos contra a paz e a dignidade do reino.

Morte, e morte violenta, para aqueles pobres infelizes! A reflexão deprimiu Tom. Sentiu-se totalmente dominado pela compaixão: a violação das leis, o sofrimento e as perdas que os três criminosos tinham infligido a suas vítimas, nada disso lhe passou pela cabeça; só conseguia pensar no cadafalso e na horrível sorte que pendia sobre as cabeças dos condenados. Tal preocupação o fez até esquecer, por um momento, que não passava de ilusória imagem de rei, sem substância; e, antes que desse por si, gritou a ordem:

— Tragam eles aqui!

Depois ficou roxo e sentiu que o pedido de desculpas já aflorava a seus lábios; mas, vendo que sua ordem não provocara nenhuma surpresa no conde nem no pajem que estava esperando, resolveu não se desculpar. O pajem, da maneira mais natural do mundo, fez profunda reverência e retirou-se de costas, para transmitir a ordem. Tom sentiu grande orgulho e novamente a sensação das vantagens e compensações do ofício de rei. Disse para si mesmo:

— Na verdade, é parecido com o que eu costumava sentir quando lia os contos do velho padre e me imaginava como príncipe, inventando leis e dando ordens a todos: — Façam isso, façam aquilo — sem que ninguém contrariasse minha vontade.

Nesse meio-tempo as portas se abriram; os pomposos títulos foram sendo anunciados, um após o outro, e a sala logo se encheu de gente nobre e elegante. Mas Tom quase não prestava atenção, tão distraído que estava e tão intensamente absorvido pelo outro assunto, muito mais interessante. Absorto, sentou-se em sua cadeira de chefe de Estado e pôs-se a olhar para a porta, demonstrando impaciente expectativa, diante da qual todas as pessoas, temendo perturbá-lo, começaram a conversar entre si, misturando negócios públicos com mexericos da corte.

Dali a pouco, ouviu-se o passo cadenciado dos militares que se aproximavam, e os acusados entraram, custodiados por um subdelegado e escoltados por um destacamento da guarda real. O oficial civil ajoelhou-se diante de Tom, depois ficou de lado; os três condenados também se ajoelharam e assim permaneceram; o guarda posicionou-se atrás da cadeira de Tom, o qual olhava para os prisioneiros com curiosidade.

Algo na roupa ou na aparência do homem despertava nele uma vaga recordação.

— Acho que já vi esse homem antes, mas não me lembro quando nem onde — pensou Tom.

Nesse exato momento, o homem ergueu rapidamente o olhar, mas logo baixou a cabeça outra vez, incapaz de suportar o esplendor da realeza; mas esse olhar de relance no rosto do homem fora suficiente para Tom. Disse então para si mesmo:

— Agora está tudo claro; é aquele estranho que tirou Giles Witt do Tâmisa e salvou a vida dele naquele tempestuoso e desagradável primeiro dia do ano... atitude muito corajosa; pena que ele também tenha cometido torpezas e se envolvido nesse triste episódio. Não me esqueci do dia, nem da hora, pois pouco depois, ali pelas onze horas, levei uma surra tão violenta da Vó Canty, que estava admiravelmente enfurecida, que tudo o que aconteceu antes ou depois, se for comparar, foram carícias e mimos.

Tom ordenou então que a mulher e a menina fossem retiradas da sala por alguns minutos, e depois se dirigiu ao subdelegado:

— Meu bom senhor, de que este homem está sendo acusado?

O oficial ajoelhou-se e respondeu:

— Pois não, majestade, ele tirou a vida de um súdito com veneno.

A compaixão e a admiração de Tom pelo prisioneiro, que num gesto corajoso salvara um menino que estava se afogando, sofreram profundo abalo.

— Ficou provado que foi ele? — perguntou.

— Completamente, senhor.

Tom suspirou e disse:

— Leve-o embora... ele fez por merecer essa morte. É pena, porque tinha bom coração... er... er... Quero dizer, *parecia* ter.

O prisioneiro juntou as mãos com súbita energia e apertou-as desesperadamente, enquanto implorava ao "rei", com frases entrecortadas e aterrorizadas:

— Oh, senhor meu rei, se tem piedade dos perdidos, se compadeça de mim! Sou inocente... isso de que me culpam não ficou bem provado, não... mas nem é disso que quero falar; o julgamento foi contra mim e não pode ser mudado; mas, mesmo perto do fim, suplico um favor, porque meu castigo é superior às minhas forças. Uma graça, uma graça, senhor meu rei! Em sua soberana compaixão, atenda meu apelo; ordene que eu seja enforcado.

Tom assustou-se. Não era o desfecho que ele esperava.

— Macacos me mordam, que *pedido* mais estranho! Mas não é isso mesmo que vai lhe acontecer?

— Não, meu bom senhor, não é isso! Foi ordenado que eu seja *cozinhado vivo!*

A terrível surpresa que essas palavras provocaram quase fez Tom pular da cadeira. Assim que recobrou as forças, gritou:

— Seu pedido será atendido, pobre alma! Mesmo que tivesse envenenado cem homens, não mereceria sofrer morte tão miserável.

O prisioneiro curvou o rosto para o chão e explodiu em ardorosas frases de gratidão, terminando com:

— Se algum dia o senhor conhecer o infortúnio, que Deus o proteja! Que sua misericórdia para comigo seja lembrada e recompensada!

Tom dirigiu-se a Hertford:

— Milorde, existe de fato justificativa para a terrível sentença deste homem?

— É a lei, majestade... para os que envenenam. Na Alemanha, os falsários são cozinhados no *óleo* até morrer... e não são mergulhados de uma vez, mas, por meio de uma corda, são imersos no óleo aos pouquinhos, bem devagarinho; primeiro os pés, depois as pernas, depois...

— Oh, por favor, meu senhor, basta! não posso aguentar isso! — gritou Tom, cobrindo os olhos com as mãos para afugentar a imagem.

— Suplico-lhe que ordene a revisão dessa lei. Oh, que esses infelizes nunca mais sejam submetidos a essas torturas.

Via-se profunda gratidão no rosto do conde, porque Hertford era homem de impulsos compassivos e generosos — algo incomum em sua classe social naquela bárbara época.

— As nobres palavras de vossa majestade selaram vosso destino. A história vai lembrar disso, para honra de vossa dinastia — declarou o conde.

O subdelegado já ia levar o prisioneiro quando Tom fez-lhe sinal para que esperasse:

— Bom senhor, quero examinar esse assunto mais profundamente. O homem disse que sua culpa não tinha ficado bem provada. Me diga o que o senhor sabe.

— Se é da vontade de vossa majestade, ficou provado no tribunal que este homem entrou numa casa da aldeia de Islington, onde havia um enfermo; três testemunhas dizem que foi às dez horas da manhã e duas, que foi alguns minutos depois; a vítima estava sozinha no momento e dormia; depois o homem saiu e foi embora. A vítima morreu uma hora depois, contorcendo-se em vômitos e espasmos.

— Alguém viu ele dar o veneno? Encontrou-se algum veneno?

— Na verdade, não, meu senhor.

— Então como se sabe que ele envenenou?

— Perdão, majestade, os médicos confirmaram que ninguém morre com esses sintomas, a não ser que tenha sido envenenado.

Uma indiscutível evidência, essa… para a mentalidade elementar da época. Tom reconheceu-lhe a incrível validade e disse:

— O médico conhece seu ofício; provavelmente tenha razão. A questão não é muito favorável a esse pobre homem.

— Mas isso ainda não é tudo, majestade; há coisas piores. Muitos testemunharam que uma feiticeira, que foi embora da aldeia, ninguém sabe para onde, previu e contou em detalhes que o doente morreria envenenado, e mais, que um estranho é que lhe daria o veneno… um estranho de cabelo castanho, vestido de roupa surrada e comum; e o prisioneiro, por certo, corresponde à descrição. Por favor, majestade, dê ao caso o peso que lhe é devido, uma vez que foi tudo *previsto*.

Naquela época supersticiosa, um argumento dessa natureza tinha força tremenda. Tom sentiu que o assunto estava encerrado; se as provas tinham alguma validade, a culpa daquele infeliz estava comprovada. Mas ele ainda deu uma chance ao prisioneiro:

— Se tem algo em sua defesa, fale.

— Nada que possa ajudar, meu rei. Sou inocente, mas não posso provar. Não tenho amigos, senão ia poder provar que não estava em Islington naquele dia; ia poder provar também que naquela hora eu estava a mais de uma légua de distância, em Wapping Old Stairs; e mais, meu rei, ia poder provar ainda que, em vez de *tirar* a vida de alguém, eu estava era *salvando* uma. Um menino que estava se afogando…

— Espere! Delegado, diga em que dia esse caso aconteceu!

— Às dez horas da manhã, ou pouco mais tarde, do primeiro dia do ano-novo, ilustríssimo…

— Soltem o prisioneiro; é a vontade do rei!

Outro rubor seguiu-se a esse régio despropósito, e Tom disfarçou o indecoro o mais que pôde, acrescentando:

— Me enfurece saber que um homem vai ser enforcado com base em provas tão infundadas e levianas!

Um contido murmúrio de admiração percorreu a assembleia. Admiração não pelo decreto baixado por Tom, pois a justiça ou a conveniência de perdoar um envenenador condenado era algo que poucos ali legitimariam, fosse admitindo, fosse admirando... não, a admiração era pela inteligência e pela genialidade que Tom demonstrara. Eis algumas observações, feitas a meia-voz:

— O rei não está louco; encontra-se em seu juízo perfeito.

— Que maneira sensata de interrogar! Esse estilo abrupto e imperioso de decidir é bem do seu antigo feitio!

— Deus seja louvado, ele se restabeleceu! Não é um fracote; é um rei. Comportou-se igualzinho ao pai.

Com o ar carregado de aplausos, os ouvidos de Tom necessariamente captaram alguma coisa do que se comentava. O efeito que isso teve sobre ele foi deixá-lo muito à vontade e plenamente satisfeito.

No entanto, a curiosidade juvenil foi mais forte que tudo: Tom estava louco para saber que tipo de maldade a mulher e a menina tinham cometido; assim, a uma ordem sua, as duas criaturas, apavoradas e soluçantes, foram trazidas à presença dele.

— Que foi que essas duas fizeram? — perguntou ao delegado.

— Pois não, majestade, são acusadas de um crime horrível e indiscutivelmente provado; portanto, os juízes decretaram, de acordo com a lei, que sejam enforcadas. Elas venderam a alma ao diabo; eis o seu crime.

Tom estremeceu. Fora ensinado a abominar quem praticava essa perversidade. Mas não ia se negar o prazer de satisfazer a curiosidade que tinha por tudo aquilo; assim, perguntou:

— Onde fizeram isso? E quando?

— Num dia de dezembro, à meia-noite, numa igreja em ruínas, majestade.

Tom estremeceu de novo.

— Quem estava lá?

— Só as duas, senhor... e *o outro*.

— Confessaram?

— Não, na verdade, não, senhor; elas negam.

— Então, me explique, como ficaram sabendo?

— Algumas testemunhas viram quando elas foram pra lá, majestade; isso levantou suspeitas e, desde então, coisas terríveis têm confirmado e justificado o fato. Particularmente, há evidências de que, através do poder perverso conseguido dessa maneira, elas invocaram e provocaram uma tempestade que devastou toda a região, o que foi atestado por mais de quarenta testemunhas; e, na verdade, podia ter sido mil, pois todos tinham alguma razão para se lembrar dela, já que todos sofreram por sua causa.

— Com certeza, é um fato muito grave. — Tom ficou algum tempo remoendo esse perverso exemplo de patifaria e depois perguntou:

— A mulher também foi prejudicada pela tempestade?

Muitas das velhas cabeças da assembleia inclinaram-se em reconhecimento da sabedoria dessa pergunta. O delegado, no entanto, não percebeu a sutileza da pergunta e respondeu sem rodeios:

— Sim, de fato, majestade, e foi muito merecido, como todo o mundo pode atestar. Sua casa foi destruída, e ela e a filha ficaram desabrigadas.

— Acho que o poder de prejudicar tanto a si mesma lhe custou bem caro. Ela já teria sido enganada se houvesse pago um vintém por isso; agora, pagar com a própria alma e com a da filha significa que ela está louca; se está louca, é sinal de que não sabia o que estava fazendo, portanto, não é culpada de nada.

De novo, as velhas cabeças inclinaram-se em sinal de reconhecimento da sabedoria de Tom, e alguém murmurou:

— Se o próprio rei estiver louco, como dizem, então é um tipo de loucura que ia melhorar a sanidade de muita gente que eu conheço, que bem que podia pegar essa doença, com a ajuda de Deus.

— Que idade tem a menina? — perguntou Tom.

— Nove anos, majestade.

— Pela lei da Inglaterra, pode uma criança assumir compromissos e vender-se, meu senhor? — perguntou Tom, virando-se para um sábio juiz.

— A lei não permite que crianças envolvam-se em nenhuma transação séria, meu bom senhor, visto que sua imaturidade não as habilita a lidar com a esperteza e as diabólicas maquinações dos adultos. Querendo, o *diabo* pode comprar uma criança, e esta pode concordar, mas nunca um inglês; neste último caso, o contrato seria nulo e vazio.

— Me parece descortês, anticristão e mal planejado que a lei inglesa negue privilégios aos ingleses, para esbanjá-los com o diabo! — exclamou Tom, verdadeiramente emocionado.

Esse novo ponto de vista em relação ao assunto suscitou muitos sorrisos, e muita gente o memorizou para repeti-lo pela corte como prova da originalidade de Tom, assim como de sua progressiva recuperação mental.

A acusada mais velha tinha parado de soluçar e se dependurava nas palavras de Tom com intenso interesse e crescente esperança. Tom o percebeu, o que o fez simpatizar com ela, naquela situação de perigo e desamparo. E perguntou:

— Como elas conseguiram provocar a tempestade?

— *Tirando as meias*, senhor.

Isso surpreendeu Tom e lhe febricitou a curiosidade. Disse animado:

— Que maravilha! E isso causa sempre o mesmo efeito?

— Sempre, meu senhor, desde que a mulher queira e pronuncie as palavras necessárias, mentalmente ou em voz alta.

Tom virou-se para a mulher e disse entusiasmado:

— Exerça seu poder; gostaria de ver uma tempestade!

Um súbito empalidecimento tomou conta da supersticiosa audiência, assim como o desejo generalizado, embora não expresso, de abandonar o recinto, o que Tom nem percebeu, cego a tudo o que não fosse o cataclismo proposto. Ao notar a perplexidade e o atordoamento no rosto da mulher, ele acrescentou enfaticamente:

— Não tenha medo; você não será culpada. Melhor, você sairá livre; ninguém vai tocar em você. Exerça seu poder.

— Oh, senhor meu rei, eu não tenho poder; fui falsamente acusada.

— O medo a está impedindo. Seja boazinha; você não vai sofrer nada. Produza uma tempestade; não tem importância se for pequena... não estou pedindo uma grande e terrível, na verdade até prefiro uma pequena; faça isso e sua vida será poupada; você sairá livre, junto com sua filha, com o perdão do rei e a salvo da brutalidade e da malícia de todos neste reino.

Prostrada, banhada em lágrimas, a mulher protestava que não tinha poder algum para produzir o milagre, senão ficaria até feliz de conseguir a liberdade só da filha, mesmo perdendo a própria vida, se, por obediência à ordem do rei, tão preciosa graça pudesse ser conseguida.

Tom insistiu; a mulher continuava firme em suas declarações. Finalmente, ele disse:

— Acho que ela está dizendo a verdade. Se *minha* mãe estivesse em seu lugar e fosse dotada com os poderes do diabo, não teria hesitado um só instante em invocar as tempestades e destruir toda a terra, se fosse esse o preço para salvar a minha vida em perigo! É um raciocínio

*Tom virou-se para a mulher e disse entusiasmado:
— Exerça seu poder; gostaria de ver uma tempestade!*

comum a todas as mães. Você está livre, boa mãe... você e sua filha... pois eu acredito que são inocentes. *Agora* que você não tem o que temer e está perdoada, tire suas meias! E, se puder provocar uma tempestade, ficará rica!

A mulher perdoada foi espalhafatosa em sua gratidão e tratou de obedecer, enquanto Tom olhava, excitado, impaciente, um pouco desfigurado pela apreensão, assim como os nobres, visivelmente inquietos e apreensivos. A mulher tirou as meias dos pés e também dos pés da filha e fez o possível para recompensar a generosidade do rei com um tremor de terra, mas foi tudo um fracasso e uma decepção.

Tom suspirou e disse:

— Aí está, boa alma, não se preocupe mais; seu poder a abandonou. Vá em paz; e se algum dia ele voltar para você, não se esqueça de mim e me mande uma tempestade*.

---

* O caráter de Hertford. O jovem rei descobriu grande afinidade com seu tio , que era, antes de tudo, moderado e honesto. *História da Inglaterra*, Hume, vol. iii, p. 324.

Mas, se ele [o protetor] errou ao ambicionar demais, merece muitos elogios pelas leis aprovadas nesse período, que abrandaram a legislação anterior e asseguraram, em alguma medida, a autonomia da constituição. Revogaram-se todas as leis que dispunham sobre o crime de traição, além do estatuto dos vinte e cinco de Eduardo III; todas as leis decretadas durante o reinado anterior, referentes ao crime de felonia; todas as leis contra os lollardos, ou a heresia, assim como o estatuto dos Seis Artigos. Ninguém podia ser acusado por palavras, exceto por um mês depois de elas terem sido pronunciadas. Através desse procedimento muitas das mais rigorosas leis já aprovadas na Inglaterra foram anuladas; e uma espécie de alvorecer, de liberdade civil e religiosa, começou a surgir para o povo. Revogou-se ainda a lei que destruía todas as outras leis, através da qual um pronunciamento do rei tinha força igual à de um estatuto. — Ibid., vol. iii, p. 339.

[Lollardo: membro de um grupo de reformadores políticos e religiosos da Inglaterra, dos séculos XV e XVI, seguidores de John Wycliffe, cujas doutrinas anteciparam muitos dos pontos da posterior Reforma Protestante. N. do T.]

Cozinhar até a morte. No reinado de Henrique VIII, e por determinação do Parlamento, os envenenadores eram condenados ao cozimento até morrer. Essa determinação foi revogada no reinado seguinte. Na Alemanha, ainda no século XVII, essa terrível punição era praticada contra falsários e falsificadores. Taylor, o poeta da água, descreve uma execução que presenciou em Hamburgo, em 1616. A sentença contra um falsário prescrevia que ele "fosse cozinhado no óleo até morrer; não deveria ser introduzido no caldeirão de uma vez, mas pendurado pelas axilas, com uma roldana ou corda, e depois lentamente imerso no óleo; primeiro os pés, depois as pernas, até ser totalmente cozinhado vivo". — *Leis tristes, verdade e mentira*, Dr. J. Hammond Trumbull, p. 13.

O famoso caso das meias. Uma mulher e sua filha de nove anos foram enforcadas em Huntingdon por ter vendido suas almas ao diabo e provocado uma tempestade ao tirar as meias! — Ibid., p. 20.

XVI

O jantar de gala

A hora do jantar aproximava-se, mas curiosamente a lembrança disso quase não incomodava nem amedrontava Tom. Os acontecimentos da manhã tinham milagrosamente lhe restituído a confiança; depois de quatro dias, o pobre gatinho já estava mais acostumado com seu estranho sótão do que uma pessoa madura estaria num mês inteiro. A facilidade com que uma criança se adapta às circunstâncias nunca foi tão bem ilustrada.

Mas vamos nós, privilegiados que somos, ao salão do banquete, dar uma espiada nas coisas, enquanto Tom está sendo preparado para essa importante ocasião. O salão é espaçoso, com pilares e pilastras douradas e tetos e paredes pintados. Altos guardas postados nas portas, rígidos como estátuas, com roupas ricas e pitorescas, segurando as alabardas. Numa galeria alta, que percorre toda a sala, está uma orquestra de músicos e uma compacta multidão de cidadãos de ambos os sexos, vestindo elegantes roupas. A mesa de Tom fica no centro da sala, sobre um praticável. Vejamos o que diz um cronista da época:

"Um cavalheiro, segurando um bastão, entra na sala, acompanhado de outro, que traz uma toalha de mesa; depois de se ajoelharem três vezes, com a maior veneração, estendem a toalha sobre a mesa e, após se ajoelharem outra vez, ambos se retiram; entram outros dois, de novo um com o bastão, o outro com um saleiro, um prato e um pão; depois de se ajoelharem, a exemplo dos outros, e colocarem o que trouxeram sobre a mesa, ambos se retiram, com as mesmas cerimônias dos primeiros; finalmente entram dois nobres, ricamente vestidos, um deles carregando uma faca de mesa, e, depois de se prostrarem três vezes, da forma mais elegante possível, se aproximam e esfregam a mesa com pão e sal, com tanto respeito quanto se o próprio rei estivesse presente"*.

---

* *A cidade*, de Leigh Hunt, p. 408, citação de um turista antigo.

Assim terminam as solenidades preliminares. Depois, lá longe, nos corredores cheios de eco, ouve-se um toque de corneta e um grito indistinto:

— Abram alas para o rei! Abram caminho para a mais excelente majestade do rei!

Esses sons são repetidos a intervalos... começam a chegar cada vez mais perto... até que, quase nos nossos ouvidos, soam as notas marciais, e a voz então anuncia:

— Abram alas para o rei!

Nesse momento, o pomposo cortejo aparece e, com passo cadenciado, atravessa a porta. Deixemos que o cronista relate outra vez:

"Primeiro entram os cavalheiros, os barões, os condes, os cavaleiros da Jarreteira, todos ricamente vestidos e com as cabeças descobertas; depois, o chanceler, entre outros dois, um com o cetro real, o outro com a espada do reino, numa bainha vermelha, machetada com flores-de-lis de ouro, a ponta virada para cima; a seguir entra o próprio rei, e, quando ele aparece, doze trombetas e muitos tambores o saúdam com estrepitosas boas-vindas, e nas galerias todos se levantam gritando:

— Deus salve o rei!

Depois vêm os nobres que estão ligados a ele e, à sua direita e à sua esquerda, marcha a guarda de honra, cinquenta cavalheiros pensionistas, portando dourados machados de guerra".

Tudo muito fino e agradável. O pulso de Tom batia rápido, e uma luz alegre brincava em seus olhos. Ele se comportou com muita graça, pois não estava pensando no que fazia, a mente ocupada e feliz com os alegres sons à sua volta; além disso, ninguém consegue ficar deselegante com roupas lindas e bem-feitas, depois de ter se acostumado um pouco com elas, principalmente se, no momento, nem estiver pensando nelas. Tom se lembrava das instruções e agradecia a acolhida com leve inclinação da emplumada cabeça e um cortês:

— Muito obrigado, meu bom povo.

Sentou-se à mesa sem tirar o chapéu, e o fez com o maior desembaraço, porque sentar-se de chapéu era a única coisa que os reis e os Cantys tinham em comum, e nenhuma das partes superava a outra na traquejada naturalidade com que o faziam. O cortejo terminou, e todos se agruparam de forma pitoresca, sempre sem chapéus.

Ao som de uma animada música, os serviçais da guarda entraram, "os homens mais altos e mais fortes da Inglaterra, cuidadosamente selecionados por essas características". Mas deixemos que o cronista nos relate:

"Os serviçais da guarda entraram, cabeças descobertas, vestidos de escarlate, com rosas de ouro nas costas; iam e vinham trazendo, de cada vez, uma iguaria, servida numa bandeja. Os pratos eram recebidos por um cavalheiro, na mesma ordem em que eram trazidos, e colocados na mesa, enquanto o provador servia a cada guarda um bocado do prato que ele trouxera, temendo que estivesse envenenado".

Tom jantou bem, embora soubesse que centenas de olhos acompanhavam cada bocado que levava à boca e observavam-no mastigar com um interesse maior do que se aquilo fosse um explosivo mortal e todos esperassem que ele rebentasse, estilhaçando para todos os lados. Cuidou para não comer depressa nem se servir sozinho, sempre esperando o oficial encarregado ajoelhar-se e fazê-lo por ele. Chegou ao fim sem cometer nenhuma gafe — um arrematado e impecável sucesso.

Quando o jantar terminou e ele saiu, em meio ao fulgurante cortejo, ao som de melodiosos clarins, do rufar dos tambores e de estrondosas aclamações, concluiu que se jantar em público era o pior que lhe podia acontecer, então eis um suplício que gostaria de suportar muitas vezes por dia se, por esse meio, pudesse libertar-se de algumas das obrigações mais enfadonhas de seu ofício.

XVII

Fu-Fu I

Miles Hendon correu pela ponte, em direção a Southwark, olhando atento para ver se encontrava as pessoas que tinha em mira, e esperava encontrá-las logo. Mas decepcionou-se. Através de informações, conseguiu rastrear parte do itinerário que seguiram por Southwark; de repente, acabaram-se todas as pistas e ele ficou abobalhado, sem saber que fazer. Mas continuou procurando o melhor que pôde, durante o resto do dia. A noite o encontrou de pernas bambas, meio esfomeado e mais distante do que nunca de seu objetivo; então, jantou na estalagem do Tabardo e foi para a cama, decidido a começar cedo na manhã seguinte e dar uma bela vasculhada pela cidade. Já deitado, pensando e planejando, começou a raciocinar assim: se for possível, o menino vai tentar fugir do bandido que se diz seu pai; será que ele ia voltar para Londres e procurar a antiga pousada? Não, não faria isso; evitaria ser recapturado. Que, então, podia fazer? Sem amigo nem protetor no mundo, até ter topado com Miles Hendon, naturalmente ele ia tentar reencontrar o amigo, desde que não tivesse de voltar a Londres e se arriscar. Bateria na casa Hendon, eis o que faria, pois sabia que Hendon estava voltando para a família e podia ter esperança de encontrá-lo lá. Sim, estava claro para Hendon... não ia ficar perdendo tempo em Southwark; ia viajar imediatamente para Kent em direção a Monk's Holm, vasculhar os bosques e pedir informações à medida que passasse. Agora vamos atrás do pequeno rei desaparecido.

O mal-encarado que o garçom da estalagem da ponte vira "se encontrando" com o jovem e com o rei não se encontrou propriamente com eles, mas foi seguindo ambos de perto. Não disse nada. Tinha o braço esquerdo numa tipoia e um grande retalho de pano verde sobre o olho esquerdo; mancava ligeiramente e se apoiava numa bengala de carvalho. O jovem levou o rei por um atalho, através de Southwark, e logo chegaram à grande estrada do outro lado. O rei já estava irritado e disse que

112

ia ficar por ali… o certo era que Hendon viesse até ele, não que ele fosse até Hendon. Não suportava tamanha insolência; ficaria onde estava. O jovem disse:

— Você vai ficar parado aí, enquanto seu amigo está lá no bosque ferido? Se é assim…

O rei se alterou imediatamente e gritou:

— Ferido? E quem ousou fazer isso? Mas não importa; vamos, vamos! Mais depressa, homem! Você tem chumbo nos pés? Está ferido, é? Pois mesmo que quem fez isso seja filho de algum duque, vai se arrepender!

O bosque ficava um pouco distante, mas chegaram bem depressa. O jovem olhou em volta, notou um galho espetado no chão, com um trapinho amarrado, e foi seguindo a trilha bosque adentro, sempre atrás de outros galhos, que apareciam a intervalos; evidentemente eram pistas que devia seguir. Logo chegaram a um descampado, onde havia destroços queimados de uma casa de fazenda e, perto deles, um celeiro em ruínas. Nenhum sinal de vida por ali; só o silêncio se impunha. Entraram no celeiro, e o rei, ansioso, ia no encalço do jovem. Ninguém ali! O rei olhou surpreso e desconfiado para o jovem e perguntou:

— Onde está ele?

Uma risada de deboche foi a resposta. O rei se enfureceu na hora; pegou um pedaço de pau e já ia rachar o rapaz quando ouviu outra risada debochada. Vinha do rufião manco, que estava no rastro deles, a certa distância. O rei se virou e esbravejou:

— Quem é você? Que quer aqui?

— Deixe de besteira — disse o homem — e fique quieto. Meu disfarce não é tão perfeito assim para você fingir que não reconhece seu pai.

— Você não é meu pai. Não o conheço. Sou o rei. Se você escondeu meu criado, trate de encontrá-lo, ou vai se arrepender muito pelo que fez.

John Canty respondeu fria e calculadamente:

— É óbvio que você está louco e eu estou sem vontade de te bater, mas, se me provocar, vou ser obrigado. Pode tagarelar que não faz mal, aqui não tem ouvidos pra se incomodar com suas loucuras, mas é melhor ir treinando essa língua pra ser mais cuidadosa, pra ela não te prejudicar quando a gente mudar de lugar. Matei um homem e não posso ficar em casa; nem você, porque preciso de seus serviços. Mudei de nome, por uma boa razão; agora é Hobbs… John Hobbs; o seu é Jack;

meta isso na cabeça. Agora, fale. Cadê sua mãe? Cadê suas irmãs? Elas não apareceram no lugar combinado; sabe pra onde elas foram?

O rei respondeu emburrado:

— Não me amole com essas charadas. Minha mãe morreu; minhas irmãs estão no palácio.

O jovem, que estava perto, caiu na gargalhada, e o rei já ia bater nele, quando Canty — ou Hobbs, como ele agora se chamava — o impediu:

— Para, Hugo, não enche a paciência dele; está com a cabeça atrapalhada, e esses teus modos irritam ele. Sente aqui, Jack, e fique quieto; daqui a pouco a gente vai comer alguma coisa.

Hobbs e Hugo começaram a conversar em voz baixa, e o rei se afastou o mais que pôde daquela companhia desagradável. Foi refugiar-se num canto escuro, do outro lado do celeiro, onde encontrou o chão de terra coberto por grossa camada de palha. Deitou-se, cobriu-se com um pouco de palha, como se fosse cobertor, e dali a pouco estava absorto. Tinha muitas tristezas, mas as menores quase caíam no esquecimento, diante da maior de todas: a perda de seu pai. Para o resto do mundo, o nome de Henrique VIII causava arrepios e sugeria a imagem de ogro, cujas narinas expiravam destruição e cujas mãos traziam flagelo e morte; mas, para aquele menino, esse nome só trazia recordações agradáveis, a figura que evocava era a de um semblante feito só de gentileza e afeto. Relembrou inúmeros episódios agradáveis entre seu pai e ele e ficou pensando neles com ternura, e as lágrimas copiosas atestavam quão profunda e real era a dor que enchia seu coração. À medida que a tarde caía, o menino, cansado de tantos problemas, foi caindo aos poucos num sono tranquilo e reparador.

Passado um bom tempo, ele não sabia dizer quanto, seus sentidos despertaram para uma semiconsciência e, deitado e com os olhos fechados, imaginando vagamente onde estava e o que tinha acontecido, notou um som murmurante, a batida tristonha dos pingos de chuva no telhado. Uma aconchegante sensação de conforto tomou conta dele, mas foi bruscamente interrompida, no momento seguinte, por um coro de sons cacarejantes e risos vulgares. Teve um sobressalto desagradável e descobriu a cabeça para ver de onde provinha aquele incômodo. Um quadro sinistro e horrível apareceu diante de seus olhos. Uma fogueira queimava no meio do chão, no extremo oposto do celeiro; e, em volta dela, estranhamente iluminado pelo clarão vermelho, refestelado e estatelado indolentemente, a mais variada corja de facínoras e da escória esfarrapada da sarjeta, de ambos os sexos, que ele jamais poderia ter imaginado. Brutamontes tisnados pelo sol, de cabelos compridos e cobertos de grotescos trapos; jovens de estatura mediana, feições truculentas, vestidos da mesma maneira; mendigos cegos, com tapa-olhos ou curativos nos olhos, aleijados, com pernas de pau e muletas; um mascate com aparência de bandido, com sua trouxa, um afiador de facas, um funileiro e um barbeiro, com suas ferramentas de trabalho; algumas das mulheres não passavam de meninas crescidas, umas jovens, outras velhas bruxas encarquilhadas, todos barulhentos, desavergonhados e obscenos no falar; todos sujos e desleixados; havia três bebês de rostos tristes e um casal de cães famintos, com cordas no pescoço, que serviam como guias dos cegos.

A noite chegara, o bando acabara de banquetear-se, e estava começando uma orgia, a garrafa de bebida passando de boca em boca. Todos gritaram:

— Música! Uma música de Morcego e Dick Deixa-Que-Eu-Chuto!

Um dos cegos levantou-se e arrumou-se, colocando de lado o remendo que lhe protegia os excelentes olhos e a patética tabuleta que contava a razão de seu infortúnio. Deixa-Que-Eu-Chuto livrou-se de sua perna de pau e se acomodou, sobre membros fortes e saudáveis, ao lado de seu velhaco amigo; então berraram uma cantiga brincalhona, acompanhados pelo bando inteiro, ao fim de cada estrofe, num coro excitado. Ao fim da última estrofe, o entusiasmo meio embriagado chegara a tal ponto que todo mundo se juntou e cantou tudo outra vez, desde o começo, tão alto e tão forte que as vigas tremiam. Eram estas as palavras inspiradas:

Emtom, en as noytes pretas, malleçiosos andarã aa mansarda,
Os muy boõs companheiros furtã
En a forca penduraos, per el-Rey aguisaos
Per o seu ultimo sono emfim.
Os homes extimados seguirõ e rodã e rodã,
Distante de os reyes peçoentos,
E roda o home que futou a sa vistimenta,
Pendurao en a forca*.

---

* Do "English rogue" (O velhaco inglês); Londres, 1665. "Tradução" da canção para o português atual:
Então, nas noites escuras, os bandidos entraram na casa,
Os excelentes companheiros furtam
Pendurados na forca, por mandado do rei
Para o derradeiro sono afinal.
Os homens estimados se foram e rodam e rodam,
Longe dos reis peçonhentos,
E roda o homem que roubou sua vestimenta,
Pendurado na forca. (N. do T.)

Começaram a conversar; não no linguajar dos ladrões da canção, que só era usado quando podia haver ouvidos inimigos à escuta. Conversa vai, conversa vem, ficou claro que "John Hobbs" não era propriamente novato, mas já trabalhara com a gangue algum tempo antes. Sua história recente entrou na roda e, quando ele disse que matara um homem "acidentalmente", todos demonstraram considerável satisfação; quando acrescentou que o homem era padre, foi aplaudido por todos e teve de tomar um trago com todo mundo. Os veteranos o acolheram com alegria, e os novatos estavam orgulhosos de poder lhe apertar as mãos. Alguém lhe perguntou por que ele tinha "ficado longe por tantos meses". E ele respondeu:

— Londres está melhor que o campo e mais segura, nesses últimos anos, com essas leis tão duras que eles cumprem pra valer. Se não fosse esse acidente, eu tinha ficado lá. Tinha resolvido ficar e nunca mais voltar pro campo, mas o acidente acabou com tudo isso.

Perguntou quantas pessoas faziam parte da gangue naquele momento. "Arrepiado", o chefe do bando, respondeu:

— Vinte e cinco. Tudo ladrão, trombadinha, batedor de carteira, mendigo de nascença e pedinte, contando prostitutas, vagabundos e outras mariposas. A maioria está aqui; o resto anda pelo leste, aplicando o plano de inverno. A gente segue de manhã.

— Não estou vendo o Lobinho aqui, no meio dessa gente boa. Onde é que ele anda?

— Coitado, ele agora está comendo enxofre, e superquente, prum paladar tão delicado. Mataram ele numa briga, aí pelo meio do verão.

— Fico triste de saber; o Lobinho era homem forte e valente.

— Isso era mesmo, verdade. A Preta Bess, companheira dele, ainda está com a gente, mas se embrenhou pro leste; boa moça, bem ajeitada e comportada, ninguém nunca viu ela bêbada mais que quatro dias por semana.

— Ela sempre foi séria... me lembro bem... bonitona e bem respeitável. A mãe era mais relaxada e menos exigente, uma megera encrenqueira e mal-humorada, mas tinha uma esperteza fora do comum.

— É, mas perdemos ela por causa disso. Por causa de seu dom de ler a mão e outros jeitos de ver a sorte, ela acabou com nome e fama de bruxa. A lei assou ela em fogo brando até morrer. Fiquei com uma pena danada, até chorei, de ver a valentia dela de enfrentar a própria sorte... xingando e ofendendo toda aquela multidão embasbacada olhando pra ela, enquanto as chamas subiam, lambendo a cara dela, pegando naqueles cachinhos, estalando naquela cabeça velha grisalha. Xingando, eu disse? Xingando! Olha, nem que você viva cem anos, nunca que vai ouvir uma xingação tão genial. Puxa, essa arte morreu com ela. Devem ter sobrado umas imitações baratas e fraquinhas, mas não a legítima blasfêmia.

Arrepiado suspirou; os ouvintes suspiraram por simpatia; por instantes, uma depressão geral caiu sobre todos, pois mesmo marginais tão embrutecidos como eles não são totalmente desprovidos de sentimentos, mas capazes de uma fugaz sensação de perda e aflição, a longos intervalos e sob condições particularmente favoráveis... como nesse caso, por exemplo, quando o gênio e a cultura iam embora sem deixar herdeiros. No entanto, o grande gole que passou por todos logo restaurou a disposição dos lamentadores.

— Tem algum outro amigo nosso passando aperto? — perguntou Hobbs.

— Alguns... sim. Principalmente os novatos; da mesma forma como os pequenos fazendeiros que foram prejudicados e estão passando fome pelo mundo, porque tiraram as fazendas deles para fazer pastagem de carneiros, começaram a mendigar e acabaram chicoteados na roda da carroça, nus da cintura pra cima, até sangrar, depois amarrados no tronco para ser apedrejados; foram mendigar de novo e, chicoteados outra vez, perderam uma orelha; foram mendigar uma terceira vez... pobres coitados, que mais eles podiam fazer?... e acabaram marcados na cara com ferro em brasa, depois vendidos como escravos; fugiram, foram caçados e enforcados. É essa a história curta e resumida. Outros dos nossos sofreram menos. Venham aqui, Caipira, Tostado e Cocho... mostrem seus enfeites!

Eles ficaram de pé, tiraram alguns de seus trapos e mostraram as costas, marcadas com antigas cicatrizes nodosas, deixadas pelo açoite; um deles levantou o cabelo e mostrou o lugar onde antes existia uma orelha esquerda; outro mostrou uma marca sobre o ombro — a letra *V* — e uma orelha mutilada; o terceiro disse:

— Eu sou o Caipira, já fui fazendeiro e bem de vida, tinha uma boa esposa e filhos, agora estou um pouco mudado, na situação e no nome, e a mulher e os filhos foram embora; talvez estejam no céu, talvez... noutro lugar; mas, graças ao bom Deus, não estão mais na *Inglaterra*! Minha velha e santa mãe lutou pra ganhar a vida como enfermeira dos doentes; um deles morreu, os médicos não descobriram por que, e minha mãe foi queimada como feiticeira, com meus filhos olhando e chorando. A lei inglesa! De pé, todo mundo, de copo na mão! Agora todos juntos, vamos brindar! Vamos brindar a piedosa lei inglesa, que livrou *ela* do inferno inglês! Obrigado, amigos, obrigado a cada um e a todos. Mendiguei de casa em casa — eu e minha mulher — levando com a gente as crianças, mortas de fome; mas era crime sentir fome na Inglaterra, então eles prenderam e açoitaram a gente em três cidades. Vamos brindar outra vez pela misericordiosa lei inglesa! Pois seu chicote chupou fundo o sangue de minha Maria, e a bênção da libertação chegou depressa pra ela, que ficou lá, numa vala comum, livre do sofrimento. E as crianças... bem, enquanto a lei me chicoteava de cidade em cidade, elas morriam de fome. Bebam companheiros... só um gole... um gole pelas pobres crianças, que nunca fizeram mal a ninguém. Mendiguei de novo... mendiguei umas migalhas e fui parar no tronco e perdi uma orelha... olha, está aqui o toco; mendiguei de novo, e está aqui o toco da outra, pra não me deixar esquecer. E mendiguei mais uma vez e fui vendido como escravo... aqui na minha cara, embaixo dessa mancha, se eu lavar, dá pra ver o *E* vermelho que o ferro em brasa deixou! *Escravo*! Vocês entendem o que significa isso! *Escravo* inglês! Este aqui, de pé, na frente de vocês. Fugi do meu senhor e, quando eu for encontrado... que a pior maldição do céu caia em cima da lei da terra que inventou isso!... vou ser enforcado*!

Uma voz vibrante cortou o ar sombrio:

— Você *não* será! Este dia marca o fim dessa lei!

Todos se viraram e viram a fantástica figura do jovem rei se aproximando depressa; assim que ele saiu para a luz e se revelou com clareza, houve uma explosão geral de perguntas:

— Quem é?

— *O que* é?

— Quem é você, anão?

O menino parou, seguro de si, no meio de todos aqueles olhos surpresos e inquisidores e respondeu com dignidade principesca:

— Eu sou Eduardo, rei da Inglaterra.

---

*Escravidão. Um rei tão jovem e um camponês tão ignorante estariam sujeitos a cometer erros, e este é um exemplo disso. Esse camponês sofria *por antecipação* por causa dessa lei; o rei desabafava sua indignação contra uma lei que ainda não existia, pois esse terrível estatuto estava para nascer no reinado desse mesmo pequeno rei. Porém, pela humanidade de seu caráter, sabemos que isso nunca poderia ter sido inventado por ele.

Seguiu-se uma grande gargalhada geral, um pouco por deboche, um pouco por prazer, porque a piada era mesmo excelente. O rei se irritou e disse enérgico:

— Seus vagabundos malcriados, é assim que agradecem a régia dádiva que eu estou prometendo?

Disse mais coisas, com voz raivosa e gestos excitados, mas tudo se perdeu na confusão das risadas e das exclamações jocosas. "John Hobbs" tentou várias vezes se fazer ouvir acima da gritaria, até que finalmente conseguiu, e disse:

— Companheiros, ele é meu filho, um sonhador, um bobo e louco varrido; não liguem... ele pensa que *é* o rei.

— Eu *sou* o rei — disse Edward, virando-se para ele —, como você vai ficar sabendo por si mesmo quando chegar a hora. Você confessou um assassinato... e vai ser pendurado por isso.

— *Você* vai me entregar? *Você*? Ah, se eu puser as mãos em cima de você...

— Basta! — disse o troncudo Arrepiado, colocando-se no meio dos dois, a tempo de salvar o rei e, reforçando o trabalho, de dar um murro que derrubou Hobbs. — Você não respeita nem reis *nem* Arrepiados? Se me insultar desse jeito outra vez, eu mesmo vou enforcar você. — Depois, disse a sua majestade: — Você também não precisa ficar ameaçando seus companheiros, rapaz; e trate de segurar a língua, pra não ficar falando mal dos outros em qualquer lugar. *Seja* rei, se satisfaz sua loucura, mas não precisa prejudicar os outros por causa disso. Esqueça o que você disse... isso é traição; somos malvados em coisas insignificantes, mas nenhum de nós é tão baixo a ponto de trair seu rei; nesse ponto, todo mundo aqui tem coração bom e leal. Veja se eu não falo a verdade. Agora, todos juntos: Viva Edward, rei da Inglaterra!

— *Viva Eduardo, rei da Inglaterra*!

A resposta do bando veio como um trovão tão tonitruante que abalou as frágeis estruturas do edifício. Por um momento, o rosto do pequeno rei iluminou-se de prazer, ele baixou levemente a cabeça e disse, com grave sinceridade:

— Agradeço a vocês, meu bom povo.

A inesperada reação levou o bando a uma convulsão de riso. Quando algo parecido com silêncio se reinstaurou, Arrepiado disse com firmeza, mas com um toque de bondade:

— Deixe isso pra lá, rapaz; não é ajuizado nem certo. Alimente sua fantasia, se precisa, mas escolha outro título.

Um funileiro berrou uma sugestão:

— Fu-fu I, rei dos lunáticos!

O título "pegou" na hora, todas as gargantas responderam, e um grito tremendo de "Viva Fu-fu I, rei dos lunáticos!" foi lançado, seguido de apupos, assobios e gargalhadas.

— Arrastem ele pra frente e vamos coroar!

— Coloquem um manto nele!

— Dá um cetro pra ele!

— Bota ele no trono!

Essas frases e mais vinte outras foram gritadas ao mesmo tempo; e, antes que a pobre vítima pudesse respirar, estava coroada com uma bacia de lata, encapado com um cobertor esfarrapado, entronizado sobre um barril e cetrado com o ferro de soldar do soldador. Depois todos se ajoelharam diante dele e lhe fizeram um coro de irônicas lamentações e súplicas debochadas, esfregando os olhos com as mangas e os aventais sujos e esfarrapados:

— Seja bondoso prá nós, ó doce rei.

— Não pise nestes vermes suplicantes, ó nobre majestade.

— Tenha piedade de seus escravos e console eles com um chute real.

— Nos conforte e nos aqueça com seus raios de graça, ó flamejante sol da realeza.

— Santifique o chão com o toque de seu pé, pra que a gente possa comer o pó e ser enobrecido!

— Tenha a bondade de cuspir em nós, ó senhor, pra que os filhos de nossos filhos possam contar de sua principesca condescendência e se sentir orgulhosos e felizes pra sempre.

Mas o bem-humorado funileiro deu o "tom" da noite e ficou com todas as honras. Ajoelhado, fingia beijar o pé do rei e ser indignamente desprezado; depois começou a pedir um trapo para grudar sobre a parte do rosto que tinha sido tocada pelo pé, pois, dizia, aquilo precisava ser preservado do contato com o ambiente vulgar, e ia ficar rico; iria para a estrada exibir a marca por cem xelins por pessoa. Conseguiu ser tão engraçado que causou inveja e admiração em toda a ralé esfarrapada.

Lágrimas de indignação e vergonha vieram aos olhos do pequeno monarca; em seu coração ferido, ele pensava:

— Se tivesse oferecido a eles uma grande injustiça, não seriam tão cruéis; como só tive a intenção de praticar o bem, é isso que eles usam contra mim!

XVIII

O príncipe e os vagabundos

A tropa de vagabundos despediu-se de madrugada e seguiu seu caminho. O céu estava carregado sobre suas cabeças, o chão, molhado sob seus pés e o ar, gelado. Toda a alegria do grupo tinha sumido; alguns estavam sombrios e calados, outros, irritados e petulantes, ninguém de bom humor e todos com sede.

Arrepiado colocou "Jack" sob a responsabilidade de Hugo, deu algumas breves instruções e ordenou que John Canty ficasse longe dele e o deixasse em paz; também preveniu Hugo que não fosse muito rude com o rapaz.

Pouco depois, o tempo melhorou e as nuvens se dispersaram. A tropa parou de tremer e começou a ficar mais bem-disposta. Foram se reanimando cada vez mais, até que começaram a brincar uns com os outros e a insultar quem passava pela estrada. Isso mostrava que eles estavam recomeçando a apreciar a vida e suas alegrias. O terror que inspiravam transparecia no fato de todo mundo deixar a estrada inteira para eles passarem e suportar humildemente suas insolências sem reagir. Às vezes roubavam roupas de cama dos varais, na cara de todo mundo, e ninguém dizia nada, pareciam até agradecidos por eles não levarem também os varais. Logo invadiram uma pequena fazenda e ficaram muito à vontade, enquanto o fazendeiro e sua família, trêmulos, esvaziavam a despensa para lhes dar de comer. Afagavam o queixo da dona da casa e das filhas, enquanto estas lhes serviam, e faziam gozações grosseiras com elas, acompanhadas de apelidos ofensivos e de gargalhadas. Atiravam ossos e verduras no fazendeiro e nos filhos, que tinham de se esquivar o tempo todo, e aplaudiam ruidosamente quando conseguiam acertar. Por fim, lambuzaram de manteiga a cabeça de uma das filhas, que se ofendeu com os abusos. Ao sair, ameaçaram voltar e queimar a casa e toda a família dentro, se alguma coisa do que tinham feito chegasse aos ouvidos das autoridades.

Por volta do meio-dia, depois de longa e estafante caminhada, o bando parou num bosque, nos arredores de uma cidade bastante grande. Descansaram uma horinha e depois se dividiram para entrar na cidade por diferentes pontos e aplicar diversos golpes.

Mandaram que "Jack" fosse com Hugo. Andaram pra cima e pra baixo, durante algum tempo, Hugo de olho na oportunidade de aplicar um golpe, mas não teve sorte; por fim, disse:

— Não vejo nada pra roubar; é um lugar miserável. Então, nós vamos mendigar.

— *Nós*, coisa nenhuma! Faça seu trabalho… é disso que você é capaz. Mas eu não vou mendigar.

— Não vai mendigar! — exclamou Hugo, olhando surpreso para o rei. — Me diga uma coisa, desde quando você se regenerou?

— Que quer dizer com isso?

— Que quero dizer com isso? Você não mendigou a vida inteira pelas ruas de Londres?

— Eu? Seu idiota!

— Dispenso os elogios… sua raça inda vai durar muito. Seu pai diz que você mendigou a vida inteira. Vai ver que estava mentindo. Será que você é capaz de dizer que ele estava mentindo? — zombou Hugo.

— Esse que *você* chama de meu pai? Mentiu, sim.

— Ora, vamos, não me venha com essa maluquice de novo, companheiro; use isso pra se divertir, não pra se machucar. Se eu contar pra ele, você vai levar uma boa surra.

— Não se dê o trabalho. Eu mesmo falo.

— Gosto de suas brincadeiras, gosto mesmo, verdade; mas não gosto de seu jeito de pensar. A vida já castiga e surra bastante, pra gente inda sair por aí pedindo mais. Vamos parar com esse papo; eu acredito em seu pai. Não duvido que ele seja capaz de mentir; nao duvido que ele *tenha* de mentir; dependendo da situação, até os melhores de nós fazem isso; mas agora não é o momento pra isso. Um homem inteligente não desperdiça uma coisa boa como a mentira a troco de nada. Cá entre nós, se você quer parar de mendigar, que é que a gente vai fazer? Roubar cozinhas?

O rei disse, impaciente:

— Pare com essa loucura; está me cansando!

Irritado, Hugo devolveu:

— Agora, escute aqui, companheiro; você não quer mendigar, não quer roubar; tá bom. Mas eu vou dizer o que você *vai* fazer. Vai servir de isca enquanto eu mendigo. Experimente recusar pra ver!

O rei estava a ponto de dar uma resposta insolente, quando Hugo interrompeu:

— Calma! Vem vindo um aí com boa cara. Agora eu vou ter um ataque e cair no chão. Quando o estranho correr pra me acudir, você finge que está desesperado, cai de joelhos e faz de conta que está chorando; daí chora bem alto, como se todos os demônios da miséria estivessem perseguindo você, e diz: — "Ó, senhor, é meu pobre irmão doente, e não temos ninguém no mundo; ai, em nome de Deus, que seus olhos misericordiosos se compadeçam desse pobre doente, desamparado e miserável; dê uma moedinha de sua fortuna pros esquecidos por Deus e que estão pra morrer!" Veja bem, continue se lamentando e não desanime até a gente conseguir arrancar a moeda dele, senão você estraga tudo.

Num minuto, Hugo começou a gemer e a se lamentar e a revirar os olhos, cambaleando e se estrebuchando todo; e, quando o estranho chegou bem perto, estatelou-se na frente dele, gritou e começou a se contorcer e a chafurdar na poeira, em aparente agonia.

— Ó, meu Deus, ó, meu Deus! — gritava o bom estranho. — Ó, pobrezinho, coitado, como deve estar sofrendo! Vamos, eu o ajudo a ficar de pé.

— Ó, nobre senhor, piedade; Deus vai apreciar sua nobreza… mas um cruel sofrimento toma conta de mim quando estou nesta situação. Meu irmão aí vai contar à sua lordeza como eu fico atormentado de angústia quando sofro esses ataques. Uma moeda, bom senhor, uma moeda pra comprar um pouco de comida; depois me deixe com meu sofrimento.

— Uma moeda! Vou lhe dar três, criatura desamparada — e ele procurou no bolso, com uma pressa nervosa, até que conseguiu tirá-las. — Aqui está, coitado, são para você, de bom coração. Agora, rapaz, venha até aqui e me ajude a carregar seu irmão doente até sua casa, onde…

— Não sou irmão dele — cortou o rei.

— Quê!!! Não é irmão?

— Ó, escute só o que ele diz! — gemeu Hugo, e depois, em tom mais baixo, rangeu os dentes. — Ele renega o próprio irmão, justo ele, que já está com um pé na cova!

— Rapaz, você é mesmo duro de coração, se ele é seu irmão. Que vergonha! E não é capaz de mexer nem um dedo. Se ele não é seu irmão, quem é então?

— Um mendigo e ladrão! Ele tirou seu dinheiro e também sua bolsa. Se quiser fazer uma cura milagrosa, desça a bengala nele e deixe que a Providência cuide do resto.

Mas Hugo não esperou o milagre. Num segundo estava de pé e voava como o vento, com o cavalheiro em seu encalço, provocando um grande alvoroço por onde passavam. O rei suspirou com profunda gratidão a Deus, por sua própria libertação, correu no sentido oposto e não afrouxou o passo até se livrar do perigo. Pegou a primeira estrada que apareceu e logo deixou a cidade para trás. Fugiu o mais rápido que pôde, durante várias horas, sempre olhando para trás, para saber se não estava sendo perseguido; finalmente se tranquilizou e começou a saborear uma agradável sensação de segurança. Sentiu-se faminto e muito cansado. Por isso, parou numa fazenda, mas, quando ia abrir a boca, foi logo interrompido e escorraçado. Os andrajos depunham contra ele.

Continuou na estrada, ofendido e indignado, jurando a si mesmo que nunca mais se submeteria a uma situação dessas. Mas a fome é mais forte que o orgulho; assim, ao anoitecer, fez nova tentativa noutra fazenda, mas foi ainda mais maltratado que antes; xingaram-no com nomes feios e ameaçaram-no de prisão por vagabundagem se não chispasse dali imediatamente.

A noite chegou, friorenta e úmida; e o monarca descalço ainda continuava batalhando. Era obrigado a manter-se em movimento, pois toda vez que se sentava para descansar quase gelava até os ossos de frio. Todas as sensações e experiências, enquanto atravessava a melancolia solene e a vastidão vazia da noite, eram-lhe novas e estranhas. De vez em quando, ouvia vozes que se aproximavam, passavam por ele e se dissolviam no silêncio; como não percebia nada, exceto uma espécie de vulto errante e difuso, sentiu algo de fantasmagórico e misterioso naquilo tudo, e começou a tremer. Às vezes, vislumbrava um piscar de luzes... que pareciam sempre muito longínquas, quase de outro mundo; se ouvia o tilintar do sino de alguma ovelha, era um som vago, distante, indistinto; o ruído abafado das manadas chegava até ele no vento da noite, em cadências que se dissolviam, num tom fúnebre; vez por outra ouvia o uivo lamentoso de um cão, vindo da vastidão de campos e florestas a perder de vista; todos os sons eram longínquos; faziam o pequeno rei sentir que toda vida e atividade se afastavam dele e ficara sozinho, desolado, em meio a uma solidão incomensurável.

Cambaleava nessa atmosfera fantasmagórica, às vezes assustando-se com o suave farfalhar das folhas secas acima de sua cabeça, tão parecido com o sussurro de vozes; daí a pouco se viu diante da luz mortiça de uma lanterna de lata, bem perto dele. Voltou para a sombra e esperou. A lanterna estava na porta aberta de um estábulo. O rei esperou algum tempo; não ouviu nenhum barulho, ninguém se mexia. Estava sentindo tanto frio ali parado, e o hospitaleiro estábulo parecia tão convidativo, que finalmente resolveu arriscar tudo e entrar. Foi rápido e furtivo, mas, justamente quando estava atravessando a porta, ouviu vozes atrás de si. Correu para detrás de um barril, dentro do estábulo, e ficou abaixado. Dois empregados da fazenda entraram, trazendo a lanterna consigo, e começaram a trabalhar, conversando o tempo todo. Enquanto se moviam com a lanterna, o rei aproveitou a ocasião para avaliar o que parecia ser uma cocheira de bom tamanho, no extremo oposto, pretendendo tatear no escuro até lá, quando estivesse sozinho. Observou também a posição de uma pilha de cobertores para cavalos, no meio do caminho, com a intenção de recrutá-los para o serviço da Coroa da Inglaterra, por uma noite.

Logo os homens acabaram e se foram, fechando a porta atrás de si e levando a lanterna consigo. O trêmulo rei foi direto para os cobertores, o mais rápido que a escuridão permitia, pegou-os e caminhou às apalpadelas até a cachoeira. Improvisou uma cama com dois dos cobertores e se cobriu com os dois restantes. Agora era um monarca feliz, embora os cobertores fossem velhos e ralos e não esquentassem bem; além disso, exalavam um bodum tão forte de cavalo que era quase sufocante.

Além de faminto e gelado, o rei também estava tão cansado e sonolento que esse aconchego logo afugentou a fome e o frio e ele foi caindo num estado de semiconsciência. Mas, quando estava a ponto de cair no sono de vez, sentiu claramente que alguma coisa o tocava! Acordou imediatamente, sufocado. O horroroso frio daquele misterioso toque no escuro quase parou seu coração. Ficou imóvel, escutando, quase sem respirar. Mas nada se mexia nem havia ruído algum. Espreitou durante um tempo que lhe pareceu uma eternidade, mas não ouviu nada, nem nada se mexeu. Começou a cair no sono outra vez, mas subitamente voltou a sentir o toque! Era espantoso, o toque suave daquela presença silenciosa e invisível; o menino entrou em pânico. Que devia fazer? Essa era a questão, mas ele não sabia como respondê--la. Devia abandonar esse lugar razoavelmente confortável e fugir do horror inescrutável? Mas fugir para onde? Não ia conseguir sair do estábulo, e lhe era intolerável a ideia de ficar correndo às cegas, de um lado para o outro, enjaulado entre quatro paredes, com o fantasma perseguindo-o e se insinuando com aquele toque macio, odioso, ora no queixo, ora no ombro. E se ficasse onde estava e suportasse essa morte em vida a noite inteira? Seria melhor? Não. Que, então, podia fazer? Ah! ele só tinha uma saída; sabia muito bem... precisava estender a mão e apalpar aquela coisa!

Era fácil pensar; difícil mesmo era convencer-se de fazê-lo. Por três vezes e no escuro, esticou a mão um pouquinho, cauteloso, e a recolheu depressa, arfante — não que tivesse encontrado algo, mas porque estava certo de que *ia encontrar*. Mas, na quarta vez, tateou um pouco mais longe, e sua mão tocou levemente alguma coisa macia e quente. Quase petrificou de medo: estava num tal alvoroço que só podia imaginar que fosse um cadáver, recém-morto e ainda quente. Pensou que preferia morrer a tocar naquilo de novo. Mas pensou esse falso pensamento porque não conhecia a força imortal da curiosidade humana. Dali a pouco, a mão estava tremulante tateando de novo... contra sua vontade e sem seu consentimento, mas mesmo assim tateando persistentemente. Encontrou um tufo de cabelos longos; estremeceu, mas continuou até encontrar o que parecia uma corda quente; seguiu pela corda e deparou com um inocente bezerro! Não havia corda nenhuma, era o rabo do bezerro.

O rei ficou um pouco envergonhado de si mesmo por ter passado por toda aquela terrível aflição por causa de algo tão banal como um bezerro adormecido; mas ele não precisava ter se sentido assim, pois não fora o bezerro que o assustara, mas uma coisa apavorante e inexistente, e ele tomara o bezerro por essa outra coisa; qualquer outro menino, naqueles tempos supersticiosos, teria agido e sofrido da mesma forma.

O rei não estava só deliciado por saber que a criatura não passava de bezerro, mas também por ter a companhia do bezerro, pois estava se sentindo tão sozinho e sem amigos que mesmo a companhia daquele humilde animal era bem-vinda. Ele tinha sido tão açoitado, tão duramente fustigado pelos de sua própria espécie, que lhe foi verdadeiramente consolador sentir que enfim estava em companhia de uma criatura amigável, que tinha pelo menos um coração bondoso e um espírito gentil, ainda que carecesse de atributos mais elevados. Assim, resolveu deixar a classe social de lado e ficar amigo do bezerro.

Enquanto afagava seu dorso macio e quente — porque estava perto dele e ao alcance da mão —, ocorreu-lhe que o bezerro podia ser utilizado de outras maneiras. Então, arrumou a cama de novo, bem perto do bezerro; depois se aconchegou no dorso do animal, puxou as cobertas para cima de si mesmo e de seu amigo, e em dois minutos estava tão aquecido e confortável como nunca estivera, mesmo nas camas macias do palácio real de Westminster.

Pensamentos agradáveis lhe ocorreram imediatamente; a vida pareceu muito animadora. Desembaraçara-se dos vínculos com a servidão e o crime, da companhia dos malfeitores vis e brutais; estava bem aconchegado e protegido; numa palavra, feliz. O vento da noite começava a soprar impetuosamente; vinha em rajadas que faziam o velho estábulo tremer e chacoalhar; por fim, perdeu a intensidade, a gemer e a lamentar-se suavemente em volta das esquinas e nas saliências; mas tudo era música para o rei, agora que ele estava aconchegado e confortável: que sopre e se enfureça, que bata e martele, que gema e se lamente, ele só consegue sentir prazer. Simplesmente se aconchegou mais perto do amigo, numa quentura gostosa e voluptuosa, e deslizou feliz para fora da consciência, num sono profundo e sem sonhos, sereno e tranquilo. Os cães latiam lá longe, a vaca melancólica queixava-se e os ventos continuavam a soprar, enquanto lençóis furiosos de chuva caíam sobre o telhado; mas a majestade da Inglaterra dormia, imperturbável, e o bezerro fazia a mesma coisa, embora fosse uma criatura simples, que não se impressionava facilmente com tempestades, nem se constrangia por dormir com um rei.

XIX

O príncipe e os camponeses

Quando acordou de manhãzinha, o rei achou um rato molhado e carinhoso, que se insinuara para dentro do estábulo, durante a noite, e fizera uma cama confortável sobre seu peito. Ao ser surpreendido, saiu em disparada. O menino sorriu e disse:

— Bobinho, por que tanto medo? Sou tão estranho no ninho quanto você. Eu teria vergonha de mim mesmo se machucasse um desamparado, pois estou na mesma situação. Além disso, devo te agradecer por esse bom presságio; quando um rei decaiu a ponto de os próprios ratos se aninharem nele, é que com certeza a sorte está para mudar, pois seria impossível decair mais.

Levantou-se, saiu da cocheira e nesse instante ouviu sons de vozes infantis. A porta da estrebaria se abriu e entraram duas menininhas. Assim que o avistaram, pararam de rir e conversar e ficaram imóveis, olhando-o com muita curiosidade; começaram a cochichar entre si, depois se aproximaram e se detiveram outra vez, para olhar e cochichar. Logo criaram coragem e começaram a falar em voz alta. Uma delas disse:

— Tem um rosto bonito.

— E tem o cabelo lindo — acrescentou a outra.

— Mas tá muito malvestido.

— Parece que tá morrendo de fome.

Chegaram ainda mais perto, esgueirando-se timidamente em volta dele e examinando-o minuciosamente, como se se tratasse de algum animal desconhecido, mas tudo com muito tato, como que temerosas de que ele fosse algum tipo de bicho que ataca sem motivo. Por fim, pararam diante dele, de mãos dadas, por precaução, e deram uma boa olhada, com seus olhos inocentes; uma delas juntou toda coragem que tinha e perguntou com honesta objetividade:

— Quem é você, menino?

— Eu sou o rei — foi a resposta solene.

As crianças estremeceram um pouco, olhos esbugalhados, e ficaram assim durante um minuto, mudas. Então a curiosidade rompeu o silêncio:

— *Rei*? Que rei?

— O rei da Inglaterra.

As crianças se entreolharam, depois olharam para ele, depois se entreolharam outra vez... surpresas, perplexas; então uma delas disse:

— Você ouviu o que ele disse, Margery? Ele disse que é o rei. Será que é verdade?

— Só pode ser, Prissy! Ele ia mentir? Olha aqui, Prissy, se não fosse verdade, *seria* mentira. Seria mesmo. Agora pense. Tudo o que não é verdade é mentira. É o que dá pra entender disso tudo.

Era um bom argumento, e conciso, sem a menor falha; e jogava por terra as dúvidas de Prissy. Ela pensou um momento e depois honrou o rei com uma simples observação:

— Se você é mesmo o rei, então acredito.

— Eu sou o rei de verdade.

Isso encerrou a questão. A realeza de sua majestade foi aceita sem mais perguntas nem discussões, e as duas meninas começaram imediatamente a indagar como ele tinha chegado até ali, por que estava vestido com roupas tão pouco régias, para onde estava indo e tudo o que se relacionava com os assuntos do Estado. Foi um grande alívio para o rei desabafar seus problemas sem que debochassem nem duvidassem dele; por isso contou sua história com emoção, esquecendo-se até mesmo da fome que sentia; e o relato foi acolhido com a mais profunda e terna simpatia pelas gentis meninas. Mas, quando ele narrou suas últimas experiências e elas ficaram sabendo por quanto tempo o rei estava sem comer, interromperam a história e o levaram depressa à casa da fazenda para lhe dar comida.

O rei agora estava alegre e satisfeito e dizia para si mesmo:

— Quando eu voltar para meu lugar, vou honrar sempre as criancinhas; não me esquecerei nunca de quanto acreditaram e confiaram em mim, neste momento de apuros, enquanto os velhos, que se acham mais sábios, zombaram de mim e me tomaram por mentiroso.

A mãe das crianças recebeu o rei com bondade e sentiu muita pena, pois o desamparo e a visível perturbação mental tocaram seu coração de mulher. Ela era viúva e muito pobre; por isso já tinha enfrentado dificuldades suficientes para ser capaz de comover-se com os desafortunados. Achou que o amalucado menino perdera-se dos amigos ou dos que cuidavam dele; portanto, tratou de descobrir de onde ele tinha vindo, a fim de tomar providências para mandá-lo de volta; mas todas as referências das cidades e das vilas vizinhas que ele dava, todas as perguntas nesse sentido, não deram em nada; o rosto do menino, assim como suas respostas, mostrava que as coisas que ela falava não lhe eram familiares. Ele falou, com honestidade e sinceridade, sobre assuntos da corte e mais de uma vez se emocionou ao falar do falecido rei, "seu pai"; mas, sempre que a conversa descambava para assuntos mais vulgares, ele perdia o interesse e ficava em silêncio.

A mulher ficou muito espantada, mas não desistiu. Enquanto cozinhava, ia maquinando planos para pegar o menino de surpresa e fazê-lo revelar seu verdadeiro segredo. Falou sobre gado… ele não mostrou nenhum interesse; depois, sobre ovelhas… com o mesmo resultado, portanto, estava errada em supor que o menino fosse pastor; falou sobre moinhos, tecelões, funileiros, ferreiros, comerciantes e negociantes de vários tipos; também sobre hospícios, cadeias e casas de caridade; tudo em vão. Não totalmente, porém, porque ela podia fazer perguntas que se limitassem a serviços domésticos. Sim, tinha certeza de que agora estava na pista certa; ele devia ser empregado doméstico. E enveredou por aí. Mas o resultado foi desanimador. O assunto limpeza pareceu cansá-lo; acender fogo não conseguiu esquentá-lo; limpar e polir não despertou nenhum entusiasmo. Então a boa senhora, quase sem esperanças e como quem não quer nada, tocou no assunto cozinha. Para sua surpresa e grande satisfação, o rosto do rei iluminou-se na hora! Ah! te peguei, finalmente, ela pensou; e ficou também muito orgulhosa da esperteza e do tato com que tinha agido.

Sua língua cansada pôde então descansar, pois, inspirada por uma fome devoradora e pelo cheiro gostoso que vinha das panelas e das caçarolas fumegantes, a língua do rei soltou-se e começou uma dissertação tão eloquente sobre certos pratos apetitosos que, três minutos depois, a mulher disse a si mesma:

— Então, eu estava certa… ele foi ajudante de cozinha!

Depois, ele aumentou o cardápio e o comentou com tanto gosto e vivacidade que a boa senhora disse a si mesma:

— Deus do céu! Como é que ele pode conhecer tantos pratos, e alguns tão refinados? Porque esses só aparecem nas mesas dos ricos e dos nobres. Ah! Agora estou percebendo! Apesar de marginal e maltrapilho, ele deve ter trabalhado em algum palácio, antes de perder a razão;

é, deve ter sido ajudante da própria cozinha do rei em pessoa! Vou fazer um teste.

Querendo provar logo sua esperteza, ela disse ao rei que cuidasse da comida um momentinho, imaginando que ele fosse meter a colher e adicionar uma iguaria ou duas, se quisesse; aí saiu da sala e fez sinal às crianças para que fossem com ela. O rei murmurou:

— No passado, outro rei inglês recebeu a mesma incumbência; não vai afetar em nada minha dignidade se eu fizer um trabalho que o grande Alfredo se dignou aceitar. Mas vou tentar me sair melhor do que ele, que deixou os bolos se queimar.

A intenção era boa, mas o resultado não foi o esperado; pois este rei, da mesma forma que o outro, logo mergulhou em profundas reflexões sobre suas elevadas responsabilidades, e o resultado foi igualmente desastroso... a comida queimou. A mulher voltou a tempo de salvar o almoço da destruição total e, com um pito rápido e cordial, logo arrancou o rei de seus devaneios. Depois, vendo como ele ficara perturbado por não ter sido capaz de honrar sua confiança, ela logo amaciou e foi bondosa e gentil com ele.

O menino fez uma bela e apetitosa refeição e se sentiu muito refeito e contente. A ocasião foi marcada por um detalhe curioso: ambos os lados renunciaram a seu nível social, mas nenhum deles pareceu percebê-lo. A boa senhora pretendia alimentar o pequeno vagabundo com restos, num canto, como qualquer outro vagabundo ou cachorro, mas estava com tanto remorso pela bronca que dera nele que fez tudo o que pôde para apagar o incidente, e permitiu que ele se sentasse à mesa da família e comesse com seus superiores, em pé de igualdade; o rei, por outro lado, estava com tanto remorso por não ter conseguido retribuir a confiança da família, tão boa para com ele, que se empenhou em reparar o deslize e se rebaixou ao nível da família, em vez de exigir que a mulher e as crianças ficassem de pé e o servissem, enquanto ele ocupava a mesa sozinho, por direito de nascimento e dignidade. A todos nós faz muito bem ceder às vezes. A boa senhora ficou feliz o dia inteiro, aplaudindo a si mesma, por sua magnânima condescendência para com um vagabundo, e o rei sentia autocomplacência semelhante, por ter sido humilde com a humilde camponesa.

Terminado o almoço, a mulher pediu ao rei que lavasse os pratos. A ordem o fez vacilar um pouco, e o rei quase chegou a rebelar-se; mas disse a si mesmo:

— Alfredo, o Grande, ficou tomando conta dos bolos; sem dúvida, também deve ter lavado os pratos; portanto, vou tentar.

Fez um trabalho sofrível; também ficou surpreso, porque a limpeza das colheres e dos pratos de madeira parecia coisa fácil. Era algo tedioso e complicado, mas ele finalmente conseguiu terminar. Estava começando a ficar impaciente por retomar a viagem agora, mas não ia conseguir deixar tão facilmente a companhia daquela parcimoniosa dama. Ela lhe deu algumas pequenas tarefas, que ele conseguiu fazer bem e com algum mérito. Então, ela pediu que ele e uma das pequenas fossem descascar algumas maçãs, mas o rei era tão desajeitado para esse tipo de trabalho que ela o tirou dali e mandou que fosse afiar o facão. Depois o fez cardar lã, e aí ele começou a achar que já passara a perna no bom rei Alfredo, nessa questão de aparatosos heroísmos domésticos, e que isso tudo ia soar bem pitoresco nos livros de histórias e lendas. Então, começou a pensar em desistir. E quando, logo depois do jantar, a boa senhora lhe deu uma cesta de gatinhos, e pediu que os afogasse, ele desistiu de vez. Pelo menos, esteve a ponto de desistir… pois sentiu que tinha de fixar o limite em algum lugar e lhe pareceu que fixá-lo no afogamento dos gatinhos era a coisa certa… e nesse instante foi interrompido. Era John Canty, com um saco de mendigo nas costas, e Hugo!

O rei percebeu os bandidos aproximando-se da porta de entrada antes que eles pudessem vê-lo; então, sem nada dizer a respeito de fixar limites, pegou a cesta de gatinhos e saiu sorrateiro pela porta dos fundos, bico calado. Deixou os bichinhos num galpão e correu para uma estradinha que havia nos fundos.

XX

O príncipe e o eremita

A cerca viva, muito alta, agora o escondia da casa, e, impulsionado por um terror mortal, juntou todas as suas forças e correu para um bosque distante. Não olhou para trás nenhuma vez, até que conseguiu ganhar a proteção da floresta; então se virou e vislumbrou duas figuras distantes. Foi o bastante; ele nem esperou para examiná-las melhor: fugiu depressa e não afrouxou o passo até sentir que estava bem no fundo sombrio da floresta. Parou então, convencido de que agora estava a salvo. Escutou com atenção, mas o silêncio era profundo e pesado... terrível mesmo, e deprimente para o espírito. Vez ou outra, conseguia detectar sons, mas eram tão longínquos, abafados e misteriosos que nem pareciam reais, mas das almas queixosas e sofridas dos que partiram. Portanto, os sons eram ainda mais aterrorizantes que o silêncio que interrompiam.

A princípio tivera a intenção de passar o resto do dia onde estava, mas um arrepio logo invadiu seu corpo suado, e ele finalmente se viu obrigado a andar para manter-se aquecido. Embrenhou-se na floresta, esperando encontrar uma estrada a qualquer momento, mas se desiludiu. Andava, andava e quanto mais avançava mais densa a floresta parecia ficar. O desânimo aumentava cada vez mais, e o rei percebeu que a noite aproximava-se. Estremeceu ao pensar que iria passá-la naquele estranho lugar; por isso, tentou acelerar o passo, mas só conseguiu ir mais devagar, pois agora já não podia enxergar direito onde estava pisando; tropeçava nas raízes e se enganchava nas trepadeiras e nas urzes.

Ah, como ficou feliz quando, enfim, enxergou o brilho de uma luz! Aproximou-se com cuidado, parando sempre para olhar em torno e escutar. A luz irradiava-se de uma janela sem vidros, aberta, de uma pequena e miserável cabana. Ouviu uma voz e sentiu vontade de fugir e esconder-se; mas logo mudou de ideia, pois se tratava evidentemente de uma reza. Deslizou até a janela da cabana, pôs-se na ponta dos pés e espiou. O quarto era pequeno; o chão, de terra dura, batida pelo uso; num dos cantos, via-se uma cama de esteiras, com uns dois cobertores rasgados; do lado, um balde, uma xícara, uma bacia e duas ou três panelas e tigelas; um banco pequeno e uma banqueta de três pernas; no chão, os restos de uma fogueira fumegavam; diante de um altar, iluminado por uma única vela, um idoso estava ajoelhado; e, numa velha caixa de madeira a seu lado, havia um livro aberto e uma caveira humana. O homem era grande e ossudo; cabelos e barbas compridos e brancos como a neve; vestia roupa de pele de ovelha, que o cobria da cabeça aos pés.

— Um santo eremita! — disse o rei a si mesmo. — Agora estou mesmo com sorte.

O eremita levantou-se; o rei bateu. Uma voz profunda respondeu:

— Entre! Mas deixe os pecados do lado de fora, pois o chão que você está pisando é sagrado!

— O rei entrou e esperou. O eremita pousou nele um par de olhos brilhantes e inquietos e perguntou:

— Quem é você?

— Eu sou o rei — veio a resposta, com plácida simplicidade.

— Bem-vindo, rei! — saudou o eremita, entusiasmado. Depois, começou a trabalhar ativamente, afobado, dizendo sem parar: — Bem-vindo, bem-vindo. — Arrumou o banco, fez o rei sentar-se perto do fogo, no qual jogou mais alguns feixes de gravetos, e, finalmente, começou a andar pelo quarto, com passos nervosos.

— Bem-vindo! Muitos já procuraram este santuário, mas não eram dignos e foram mandados embora. Mas um rei que joga fora sua coroa e despreza os vãos esplendores de sua posição e se veste com trapos, para devotar sua vida à santidade e à mortificação da carne... este é digno e bem-vindo! Aqui ficará e viverá até a morte.

O rei tentou interromper e explicar, mas o eremita não lhe deu atenção, nem mesmo sinal de que estava ouvindo, e continuou a falar, em tom elevado e cada vez mais inflamado.

— Aqui você terá paz. Ninguém encontrará este refúgio, nem o importunará suplicando que retorne à vida vazia e tola que Deus o levou a abandonar. Aqui vai rezar e estudar o Livro; vai meditar sobre a estupidez e ilusões deste mundo e sobre o mundo sublime que está por vir; comerá migalhas e ervas e flagelará o corpo com chicotadas diárias para purificar a alma. Se cobrirá com camisa de fibra; só tomará água; estará em paz, sim, completamente em paz, pois aqueles que vierem à sua procura deverão voltar decepcionados; não vão encontrá-lo, não vão incomodá-lo.

O velho, ainda caminhando de um lado para o outro, parou de falar alto e começou a murmurar. O rei aproveitou a oportunidade para relatar seu caso e o fez com a eloquência inspirada pelo desassossego e pela inquietação. Mas o eremita continuou murmurando e não lhe deu ouvidos. E, sem parar de murmurar, aproximou-se do rei e disse em tom impressionante:

— Psiu! Vou lhe contar um segredo! — Inclinou-se para revelá-lo, mas parou de repente e ficou ouvindo atentamente. Depois de breve momento, foi, na ponta dos pés, até a janela aberta, colocou a cabeça para fora e olhou o crepúsculo com atenção, voltou na ponta dos pés outra vez, colocou o rosto próximo ao do rei e cochichou:

— Eu sou um arcanjo!

O rei assustou-se muito e disse consigo mesmo:

— Deus permita que eu volte para os bandidos de novo; ai de mim, agora sou prisioneiro de um louco!

Sua preocupação aumentou e era perfeitamente visível em seu rosto.

Em voz baixa, nervosa, o eremita continuou:

— Sinto que você está captando a atmosfera! Vejo grande temor em seu rosto! Ninguém consegue ficar aqui sem se afetar assim, pois se trata da própria atmosfera celestial. Eu vou até lá e volto num piscar de olhos. Fui transformado em arcanjo neste exato lugar, cinco anos atrás, por anjos enviados do céu, que me outorgaram essa enorme honra. A presença deles enchia este lugar de um brilho incrível. E eles se ajoelharam na minha frente, rei! Sim, se ajoelharam para mim! Porque eu era maior que eles. Andei pelas cortes celestiais e conversei com os patriarcas. Segure minha mão... não tenha medo... segure. Aí está, agora você tocou a mão que foi tocada por Abraão, Isaac e Jacó! Pois eu andei nas cortes douradas, eu vi a Divindade face a face! — Ele fez uma pausa, para dar mais efeito à fala; então, sua expressão se transfigurou subitamente, ele se pôs de pé de novo e disse, muito raivoso: — Sim, eu sou um arcanjo, *um mero arcanjo*! Eu, que devia ter sido papa! É a pura verdade. O céu me contou em sonho, vinte anos atrás; ah, sim, era pra ter sido papa! E *teria* sido papa, porque o céu me contou, mas o rei extinguiu meu convento, e eu, pobre, obscuro, monge sem amigos, fui jogado no mundo, sem casa, privado de meu destino maior! — Aí ele começou a murmurar de novo e a bater o punho na testa, numa raiva inútil, soltando uma venenosa maldição de vez em quando e depois um patético: — No entanto, não passo de arcanjo... eu, que devia ter sido papa!

E assim ficou uma hora, enquanto o pobre reizinho, sentado, sofria. Então, de repente, a loucura do velho se desfez e ele tornou-se todo gentilezas. A voz amaciou, ele desceu das nuvens e começou a tagarelar com tanta simplicidade e humanidade que logo conquistou completamente o coração do rei. O velho devoto levou o menino para mais perto do fogo e fez que ele ficasse mais confortável, tratou suas pequenas feridas e arranhões, com mão hábil e terna, e depois começou a preparar uma refeição, tagarelando alegremente o tempo todo e, de vez em quando, acariciando o queixo do rapaz ou afagando-lhe a cabeça de forma tão carinhosa que, em pouco tempo, todo o medo e repulsa inspirados pelo arcanjo converteram-se em reverência e afeição pelo homem.

Esse feliz estado de coisas perdurou enquanto tomaram a refeição; em seguida, depois de uma prece diante do altar, o eremita colocou o menino para dormir, num pequeno quarto vizinho, agasalhando-o tão confortável e carinhosamente quanto uma mãe; depois, com uma carícia de despedida, saiu dali e se sentou perto do fogo, atiçando as brasas com ar ausente e dispersivo. Depois parou, bateu na testa várias vezes com os dedos, como se tentasse lembrar-se de alguma coisa que se lhe tivesse fugido da memória. Pareceu não conseguir. Então se levantou depressa, entrou no quarto de seu hóspede e perguntou:

— Você é o rei?

— Sim — foi a resposta sonolenta.

— Que rei?

— Da Inglaterra.

— Da Inglaterra! Então Henrique morreu!

— Infelizmente, sim. Sou seu filho.

O eremita fechou a cara e cerrou as mãos ossudas, com vingativa energia. Ficou assim alguns momentos, respirando rápido e engolindo em seco, depois disse, com voz rouca:

— Sabia que foi ele que nos jogou no mundo, sem lar nem abrigo?

Não houve resposta. O velho inclinou-se, examinou o sereno rosto do menino e ouviu sua plácida respiração.

— Está dormindo... dormindo profundamente. — A carranca se desfez e deu lugar a uma expressão de maligna satisfação. Um sorriso bailou pelos traços do menino adormecido. O eremita murmurou:

— Então, seu coração está feliz — e saiu.

Movendo-se furtivamente, procurou alguma coisa aqui e ali, às vezes parando para escutar, outras vezes virando a cabeça para dar uma rápida olhada para a cama, sempre resmungando e murmurando consigo mesmo. Afinal achou o que parecia procurar... uma velha faca de açougueiro enferrujada e uma pedra de amolar. Voltou para seu lugar, perto do fogo, sentou-se e começou a afiar suavemente a faca na pedra, sempre resmungando, resmungando e exclamando. Os ventos zuniam naquele desolado lugar, as misteriosas vozes da noite vagavam à distância. Dos buracos e das tocas os olhos brilhantes dos camundongos e dos ratos aventureiros olhavam atentamente para o velho, mas ele continuava trabalhando, embevecido e absorto, sem prestar atenção a nada.

De vez em quando, passava o dedão ao longo da lâmina do facão e balançava a cabeça, satisfeito:

— Está ficando mais afiado — dizia —, é, mais afiado.

Nem percebia que o tempo passava, e continuava a trabalhar tranquilo, entretido com seus pensamentos, que às vezes se verbalizavam:

— O pai dele nos fez mal, nos destruiu... e foi para o fogo dos infernos! Sim, para o fogo dos infernos! Escapou de nós, mas foi desejo de Deus, sim, foi desejo de Deus, não podemos nos lamentar. Mas não conseguiu escapar do fogo dos infernos! Não, ele não escapou do fogo dos infernos, que consomem, sem piedade nem remorso... e *são* eternos!

E afiava, e afiava mais, resmungando... às vezes dando um risinho baixo e irritado, outras vezes falando em voz alta:

— Foi o pai dele que fez tudo isso. Não passo de arcanjo; não fosse por ele, eu tinha sido papa!

O rei se mexeu. O eremita foi para a cama, sem fazer o menor ruído, e caiu de joelhos, prostrando-se com a faca levantada. O menino se mexeu de novo; seus olhos abriram-se por um instante, mas não havia consciência neles, nada viram; em seguida, a tranquila respiração mostrava que ele dormira profundamente de novo.

O eremita ficou olhando e ouvindo por algum tempo, na mesma posição e mal respirando; depois, baixou o braço devagar e saiu dali dizendo:

— Já vai para mais de meia-noite; não é bom que ele grite muito alto, pois alguém pode passar casualmente.

Vasculhou a choupana, pegando um trapo aqui, uma tira de couro ali e outra acolá; depois voltou e, com muito tato, conseguiu amarrar os tornozelos do rei, sem acordá-lo. Em seguida, tentou amarrar os pulsos;

138

tentou várias vezes, mas o menino sempre mexia uma mão ou a outra justamente quando já ia fazer o laço; mas, finalmente, quando o arcanjo estava quase se desesperando, o próprio menino cruzou as mãos e, pronto! Estava amarrado. Depois, ele enfaixou o queixo do adormecido e deu um nó forte no alto da cabeça; tudo tão suave, tão devagar e tão jeitoso que o menino dormiu tranquilamente durante toda a operação, sem se mexer.

XXI

Hendon sai em socorro

O velho afastou-se, curvado, esquivo como gato, e trouxe o banquinho. Sentou-se, metade do corpo na luz fraca e oscilante, a outra metade na sombra; então, com o olhar ansioso pousado no menino adormecido, manteve ali uma vigília paciente, esquecido do tempo, enquanto afiava a faca cuidadosamente, murmurando e sorrindo; no aspecto e na atitude, parecia-se muito com uma horrível, monstruosa aranha, cobiçando algum infeliz inseto, preso indefeso em sua teia.

Depois de longo tempo, o velho, ainda em contemplação, embora não visse nada, pois sintonizara a mente num devaneio, notou de repente que os olhos do menino estavam abertos... arregalados e atentos, olhando para a faca, gelados de pânico! O sorriso de um demônio satisfeito tremulou no rosto do velho e ele disse, sem mudar de posição, nem parar o que estava fazendo:

— Filho de Henrique VIII, já rezou?

O menino tentava desesperadamente se soltar, ao mesmo tempo que lançava um som abafado por entre as mandíbulas amarradas, o que o eremita resolveu interpretar como resposta afirmativa à sua pergunta.

— Então reze outra vez. Reze a oração dos que vão morrer!

Um sobressalto percorreu o corpo do menino, e seu rosto se empalideceu. Tentou novamente se soltar, virando-se e contorcendo-se de um lado para o outro, lutando para se libertar, frenética, furiosa, desesperadamente... mas sem sucesso; durante o tempo todo, o velho ogro sorria-lhe e balançava a cabeça enquanto afiava calmamente a faca, murmurando a intervalos:

— Os momentos são preciosos; poucos e preciosos; reze a oração dos que vão morrer!

O menino soltou um urro desesperado e parou de lutar, esgotado. Vieram então as lágrimas, que caíam, uma depois da outra, pelo seu ros-

to; mas essa pungente visão não causou nenhuma comoção no velho selvagem.

Amanhecia. O eremita notou e disse rispidamente, com certa apreensão nervosa na voz:

— Não vou ser indulgente! A noite acabou. Parece que durou um momento, só um momento; podia ter durado um ano! Semente do destruidor da Igreja, feche esses olhos moribundos, se tem medo de ver a...

O resto perdeu-se em murmúrios inarticulados. O velho caiu de joelhos, a faca nas mãos, e inclinou-se sobre o menino, que gemia.

Maldição! Ouviu-se um murmurinho perto da cabana; a faca caiu das mãos do eremita; ele jogou uma pele de ovelha em cima do menino e se levantou, tremendo. O murmurinho aumentou e, naquele momento, tornou-se agressivo e zangado; então se ouviram golpes e gritos de socorro; depois um ruído de passos rápidos fugindo. Imediatamente houve uma sucessão de batidas fortes na porta da cabana, seguidas de:

— Ô de casa! Abra! E rápido, em nome de todos os diabos!

Oh, voz abençoada, que soava como música aos ouvidos do rei, pois era a de Miles Hendon.

O eremita, rangendo os dentes de raiva impotente, saiu depressa do quarto, fechando a porta atrás de si; e, imediatamente depois, o rei ouviu a seguinte conversa, que vinha da "capela":

— Minhas saudações e meu respeito, reverendo senhor! Onde está o menino... meu menino?

— Que menino, amigo?

— Que menino! Não me venha com mentiras, seu padre, não trate de me enganar! Não estou com disposição pra isso. Encontrei perto daqui os malandros que roubaram o menino de mim e os forcei a confessar; disseram que tinha fugido de novo e que eles tinham seguido as pegadas até a porta de sua casa. Até me mostraram as pegadas dele. Então não vamos mais discutir; porque, olha aqui, reverendo, se não me entregar... Onde está o menino?

— Ó bom senhor, porventura está se referindo ao vagabundo real esfarrapado que pernoitou aqui? Se está interessado nessa criatura, saiba que mandei ele dar um recado. Vai voltar daqui a pouco.

— Quando? Quando? Vamos não perca tempo; dá pra eu ir atrás dele? Quando é que vai voltar?

— Não precisa ficar nervoso; ele vai voltar logo.

— Está bem. Vou tentar esperar. Mas espere aí! *Você* mandou ele dar um recado? Você! Claro que está mentindo... ele não iria. Era capaz de arrancar essa barba branca se fizesse essa insolência com ele. Você está mentindo, amigo; com toda a certeza, está mentindo. Ele não ia obedecer nem a você, nem a nenhum homem.

— Nenhum *homem*, você tem razão; certamente ele não iria. Mas eu não sou homem.

— *O quê*! Ora, em nome de Deus, que é que você é então?

— É segredo; não conte a ninguém. Eu sou arcanjo!

Miles Hendon soltou uma tremenda gargalhada... sem ser irreverente... e disse:

— Isso explica, então, por que ele obedeceu! Sei muito bem que não moveria um braço, nem uma perna, para servir a qualquer mortal; mas nossa! até um rei tem de obedecer, se é um arcanjo que lhe dá uma ordem! Deixe que... Psiu! Que barulho é esse?

O tempo todo, o reizinho lá estivera estremecendo de terror e tremendo de esperança; o tempo todo, também tentara, com todas as forças que lhe restavam, soltar gemidos angustiados, sempre com a esperança de que chegassem aos ouvidos de Hendon, mas compreendendo sempre, amargamente, que não conseguia sequer causar alguma impressão. Por isso, essa última observação de seu criado veio como revigorante lufada de ar puro do campo para um moribundo; e ele tentou outra vez, com toda a sua energia, justamente quando o eremita estava dizendo:

— Barulho? Só escuto o vento.

— Pode ser. É, sem dúvida. Venho ouvindo ele soprar fraquinho durante todo o... Olha aí de novo! Não é o vento! Que barulho mais esquisito! Venha, vamos descobrir o que é!

Nesse momento, o rei não se continha de alegria. Os cansados pulmões deram tudo... com muita esperança... mas o queixo amarrado e a pele de carneiro abafando o som infelizmente comprometiam o esforço. Então, o coração da pobre criança ficou apertado quando ouviu o eremita dizer:

— Ora, veio de fora... acho que do bosque lá adiante. Venha, eu mostro o caminho.

O rei ouviu ambos andar lá fora, conversando; ouviu-lhes os passos morrer na distância; então estava sozinho, com um silêncio agourento, ansioso e horrível.

Pareceu que um século se passara, até que ele ouviu os passos e as vozes se aproximando outra vez e, agora, com um som a mais... parecia o barulho de cascos. Foi quando ouviu Hendon dizer:

— Não vou mais esperar. *Não posso* esperar mais. Ele se perdeu neste bosque cerrado. Pra que lado foi? Vamos, rápido, me mostre.

— Ele... Espere; vou com você.

— Ótimo... ótimo! Sabe que, na verdade, você é melhor do que parece? Acho que não existe nenhum outro arcanjo com um coração tão bom quanto o seu. Quer montar? Que prefere? O burrico pequeno, que é pro meu menino, ou quer forçar suas sagradas pernas em cima dessa mula escrava e mal-educada que eu escolhi para mim? E inda fui enganado, pois ela custou a bagatela de um vintém de bronze, as economias de um mês inteiro, pra um funileiro desempregado.

— Não, fique com sua mula e puxe o burrico; estou mais seguro em minhas próprias pernas, prefiro andar.

— Então, por favor, segure o burrico pra mim, enquanto arrisco a vida pra ver se consigo montar na grandona.

Seguiu-se uma confusão de patadas, bofetões, pisoteios e saltos, acompanhados de uma torrente de palavrões, até terminar com um pesado apelido para a mula, que deve ter-se ofendido, pois as hostilidades pararam na hora.

Sentindo-se insuportavelmente miserável, o reizinho amarrado ouviu as vozes e os passos irem desaparecendo até sumir. Toda a esperança se esvaiu, e um pesado desespero ocupou seu coração. Pensou:

"Meu único amigo foi enganado e sumiu; o eremita vai voltar e..." Terminou com um suspiro e começou então a se contorcer tão freneticamente para se livrar das amarras que a macia pele de carneiro caiu.

Foi quando ouviu a porta se abrir! O barulho o gelou até os ossos; já parecia sentir a faca na garganta. Fechou os olhos de medo; e, de medo, abriu-os outra vez... à sua frente estavam John Canty e Hugo!

Se seu queixo estivesse livre, diria:

— Graças a Deus!

Um minuto depois seus membros estavam livres e os raptores o levavam cada um por um braço, correndo depressa pela floresta.

XXII

Uma vítima da traição

Mais uma vez, o rei Fu-Fu I perambulava com os vagabundos e marginais e era alvo de brincadeiras grosseiras e pilhérias sem graça e, algumas vezes, vítima de pequenas vinganças, nas mãos de Canty e Hugo, sempre que Arrepiado estava de costas. Só Canty e Hugo não gostavam realmente dele. Alguns o apreciavam, e todos admiravam-lhe a coragem e o espírito. Por dois ou três dias, Hugo, encarregado de vigiar e cuidar do rei, fez tudo o que pôde, às escondidas, para tornar a vida do menino insuportável; e, à noite, durante as costumeiras orgias, ele divertia os comparsas insultando o rei... como que sem intenção. Por duas vezes, pisou os pés do rei... acidentalmente... e o rei, como convinha à sua realeza, fez de conta que não percebeu e ficou indiferente; mas, da terceira vez que Hugo brincou desse jeito, o rei o derrubou no chão com um bastão, para grande divertimento da tribo inteira. Hugo, morto de raiva e de vergonha, levantou-se, pegou outro bastão e veio furioso para cima de seu pequeno adversário. No mesmo instante se formou um círculo em volta dos gladiadores, e todos começaram a apostar e a torcer. Mas Hugo não tinha a menor chance. Agitado e desajeitado nas artimanhas de escudeiro, saiu-se muito mal ao enfrentar o braço treinado pelos melhores mestres da Europa na luta com o bastão, com a lança e em todas as artes e habilidades da espada. O reizinho ficou parado, alerta, mas bem à vontade, e rebatia e protegia-se da chuva de duros golpes com tal facilidade e precisão que levou a dividida plateia ao delírio; às vezes, quando seu experiente olhar detectava uma brecha, o resultado era um golpe fulminante como um raio na cabeça de Hugo, e uma tempestade de vivas e de risos varria o ringue que era uma maravilha de ver. Ao fim de quinze minutos, Hugo, todo moído, machucado e sob um bombardeio de zombarias impiedosas, abandonou o campo de batalha; e o herói da luta, incólume, foi levantado e colocado nos ombros da multidão radiante e levado até o lugar de honra, ao lado de Arrepiado, onde, com muita cerimônia, foi coroado rei das Brigas de Galo; ao mesmo tempo, seu título anterior foi solenemente cancelado, e o bando baixou um decreto de expulsão contra quem quer que se atrevesse a pronunciá--lo dali em diante.

Todas as tentativas de pôr o rei a serviço do bando fracassaram. Ele se recusava teimosamente a fazer qualquer coisa; além disso, estava sempre tentando fugir. No primeiro dia de sua volta, fora empurrado para uma cozinha vazia e não vigiada; não só saiu de lá com as mãos vazias, como tentou acordar os donos da casa. Mandaram que fosse com um funileiro ambulante, para ajudá-lo em seu trabalho, mas não trabalhou; além disso, ameaçou o funileiro com seu próprio ferro de soldar; finalmente, tanto Hugo quanto o funileiro viram-se inteiramente ocupados com a mera tentativa de impedir que ele escapasse. Ele respondia com os trovões de sua realeza a todos aqueles que ousavam tomar liberdades ou tentavam forçá-lo a trabalhar. Foi mandado para a rua, sob a tutela de Hugo, em companhia de uma mulher suja e de uma criança doente, para mendigar; mas o resultado não foi encorajador: recusou-se a pedir por eles ou a ter qualquer envolvimento com suas ações.

Assim se passaram muitos dias; e as misérias daquela vida de vagabundo, junto com o cansaço, a sordidez, a mesquinharia e a vulgaridade que a impregnavam, foram se tornando, gradual e progressivamente, tão intoleráveis ao cativo que ele começou a achar que o fato de ter sido salvo da faca do eremita provava apenas, na melhor das hipóteses, que a morte tirara folga temporária.

Mas à noite, em sonhos, esquecia tudo isso e sentava-se no trono e era senhor outra vez. Isso, é claro, exasperava seu sofrimento ao acordar, e as mortificações de cada nova manhã, das poucas que transcorreram entre sua volta à prisão e o combate com Hugo, foram se tornando cada vez mais amargas e insuportáveis.

Na manhã seguinte ao combate, Hugo levantou-se com o coração cheio de planos de vingança contra o rei. Tinha dois em particular. Um pretendia impor ao rapaz o que seria, para seu espírito orgulhoso e "imaginária" realeza, uma humilhação especial; se não o conseguisse, tentaria atribuir algum crime ao rei e depois o entregaria à implacável mão da justiça.

De acordo com o primeiro plano, resolveu colocar um "clima" na perna do rei, julgando que isso, por certo, o deixaria mortificado até o último e perfeito grau; e, assim que o "clima" começasse a fazer efeito, pretendia conseguir a ajuda de Canty e *forçar* o rei a expor a perna na rua e pedir esmolas. "Clima" era a gíria usada para uma ferida feita artificialmente. Para tanto, o operador preparava uma pasta ou cataplasma de cal viva, sabão e ferrugem de ferro velho, espalhava sobre um pedaço de couro, que era então amarrado com força na perna. Isso começava a corroer a pele e a deixava em carne viva e com aspecto de inflamada; daí, borrifava-se sangue sobre o membro, que, depois de seco, ficava com uma cor escura e repulsiva. Depois, colocava-se um curativo de trapos sujos, de maneira habilidosamente descuidada, para que a horrível ferida pudesse ser vista e despertasse a compaixão dos passantes*.

Hugo conseguiu a ajuda do funileiro que o rei ameaçara com o ferro de soldar; eles levaram o menino para um ronda de trabalho, mas, assim que se viram fora do alcance dos outros, o jogaram no chão, e o funileiro o segurou, enquanto Hugo colocava o cataplasma bem apertado em sua perna.

O rei, furioso, rugia e prometia enforcar os dois assim que recuperasse o cetro, mas eles o seguravam com força, divertindo-se com sua impotência e caçoando de suas ameaças. Nisso ficaram, até que o cataplasma começou a queimar e, dali a instantes, o trabalho estaria perfeito, se não tivesse sido interrompido. Mas foi, porque, naquele momento, o "escravo" que tinha denunciado as leis inglesas apareceu em cena e pôs fim à brincadeira, rasgando o cataplasma e o curativo.

O rei queria pegar o bastão de seu salvador para esquentar o lombo dos dois vagabundos ali mesmo; mas o homem disse que não, que isso podia trazer encrenca... era melhor esquecer o assunto até de noite; então, quando toda a tribo estivesse reunida, não haveria ninguém de fora para interferir nem interromper. Levou os três de volta para o campo e contou o episódio para Arrepiado, que ouviu, ponderou e depois decidiu que o rei não devia mais ser escolhido para mendigar, já que estava claro que ele merecia alguma coisa melhor e mais importante; assim, no ato, o tirou do nível dos mendigos e o promoveu a ladrão!

Hugo estava radiante. Já tentara, sem sucesso, fazer o rei roubar, mas de agora em diante não haveria problemas, pois obviamente o rei não podia nem sonhar em desafiar uma ordem clara, baixada diretamente pelo comando-geral. Então, naquela mesma tarde arquitetou uma batida, planejando enredar o rei nas malhas da lei; mas, para isso, tinha de bolar uma estratégia que parecesse acidental e não intencional, pois o rei das Brigas de Galo agora era popular, e o bando podia não ser lá

---

* Extraído de *The English rogue* (*O velhaco inglês*); Londres, 1665

muito gentil com um membro impopular que tramasse uma traição tão séria dessas contra ele, a ponto de entregá-lo ao inimigo comum de todos, a lei.

Muito bem. Na hora combinada, Hugo acompanhou sua vítima a uma vila das redondezas; ambos perambulavam devagar, para cima e para baixo, rua após rua, um espreitando a chance segura de conseguir seu mau propósito, o outro também espreitando a chance de escafeder--se para sempre daquele cativeiro infame.

Ambos deixaram passar algumas oportunidades promissoras; pois ambos estavam resolvidos, no fundo do coração, que a coisa desta vez tinha de dar absolutamente certo, pois nenhum deles ia deixar que seus ardentes desejos os atraíssem para uma aventura que não fosse segura.

A chance de Hugo chegou antes. Finalmente, uma mulher aproximou-se, carregando um gordo pacote dentro de uma cesta. Os olhos de Hugo brilharam de prazer pecaminoso, enquanto dizia a si mesmo:

— Vamos com calma, se eu conseguir jogar uma dessas em cima dele, vai ser uma bela confusão, e que Deus te ajude, rei dos Galos de Briga!

Ele esperou, paciente por fora, mas queimando de ansiedade por dentro, o momento certo; aí disse baixinho:

— Espere aqui até eu voltar. — E disparou, furtivo, atrás de sua presa.

O coração do rei estava cheio de alegria; podia fugir agora, se a perseguição de Hugo o levasse bem longe.

Mas ele não ia ter tanta sorte. Hugo esgueirou-se atrás da mulher, agarrou o pacote, voltou correndo, e o embrulhou num pedaço de cobertor que carregava nas mãos. De repente começou a gritaria e a confusão, quando a mulher notou que fora roubada, porque a cesta se tornara mais leve, embora não tivesse visto. Hugo jogou o pacote nas mãos do rei e, sempre correndo, disse:

— Agora corra atrás de mim junto com os outros e grite: "pega ladrão!", mas preste atenção e leve eles pra outro lado!

Em seguida, Hugo dobrou uma esquina e disparou por uma viela torta e em segundos reapareceu simulando inocência e indiferença, e se encostou atrás de um poste para observar os resultados.

O rei insultado jogou o pacote no chão, e o cobertor se abriu, justamente quando a mulher chegava com uma multidão cada vez maior atrás de si; agarrou o pulso do rei com uma mão, pegou o pacote com a outra e começou a despejar um monte de insultos em cima do menino, que lutava, em vão, para se livrar de suas garras.

Hugo já vira o bastante... seu inimigo estava preso e a lei ia cuidar dele agora... portanto, fugiu, soltando risinhos de satisfação, e tomou o caminho de acampamento; enquanto caminhava, inventava uma versão plausível da história para contar ao bando de Arrepiado.

O rei continuou a lutar contra as fortes garras da mulher e gritava, às vezes, irritado:

— Me solte, criatura idiota; não fui eu que tirei seu miserável pacote.

A multidão apertou o cerco, ameaçando e xingando o rei; um ferreiro musculoso, de avental de couro e mangas enroladas até o cotovelo, acercou-se dele e disse que bem que ele merecia uma lição; mas, justamente nesse momento, uma longa espada faiscou no ar e caiu com força bastante convincente no braço do homem, com a parte chata para baixo, enquanto seu excêntrico dono dizia satisfeito:

— Por favor, almas caridosas, vamos agir com bondade, não com derramamento de sangue e insultos. Este é um assunto para a lei tratar, não para ser julgado particular e extraoficialmente. Solte o menino, minha senhora.

O ferreiro avaliou o robusto soldado com um olhar, depois foi embora, reclamando e esfregando o braço; a mulher soltou o pulso do menino contra a vontade; a multidão olhou para o estranho sem muita simpatia, mas fechou a boca por precaução. O rei foi para o lado de seu salvador, as faces vermelhas e os olhos brilhantes, e exclamou:

— Custou a chegar, mas chegou em boa hora, *sir* Miles; acabe com eles!

XXIII

O príncipe prisioneiro

Hendon tentou devolver um sorriso e, curvando-se, sussurrou ao ouvido do rei.

— Devagar, devagar, meu príncipe. Cuidado com a língua; do contrário, vai acabar com ela pendurada. Acredite em mim e tudo acabará bem.

Depois, disse a si mesmo:

— *Sir* Miles! Deus me acuda, mas esqueci completamente que tinha me tornado cavalheiro! Meu Deus, que coisa maravilhosa é a maneira como ele se agarra a suas loucas e singulares fantasias! Esse meu título é tolo e sem sentido. No entanto, foi merecido, porque acho que é mais honroso ser considerado valoroso a ponto de ser cavalheiro-fantasma de seu Reino de Sonhos e Sombras do que ser considerado suficientemente reles para ser conde num desses reinos *de verdade* deste mundo.

A multidão abriu caminho para um guarda, que se aproximou e estava para botar as mãos nos ombros do príncipe, quando Hendon disse:

— Sossega, companheiro, vamos sem usar as mãos. Ele irá pacificamente. Fico responsável por isso. Vá na frente, nós o seguiremos.

O oficial foi na frente, com a mulher e seu bando. Miles e o rei seguiram atrás, a multidão em seus calcanhares. O rei parecia querer rebelar-se, mas Hendon lhe disse em voz baixa:

— Considere, senhor; suas leis são todo o alento de sua própria realeza. Deveria sua fonte resistir a elas e ainda pedir que as ramificações as respeitassem? Aparentemente, uma dessas leis não foi obedecida, mas, quando o rei ocupar seu trono novamente, vai se entristecer ao lembrar que, quando era uma pessoa aparentemente comum, sufocou o rei em favor do cidadão e submeteu-se a sua autoridade?

— Tem razão. Não diga mais nada! Verá que, onde quer que um sacrifício em favor da lei seja solicitado do rei da Inglaterra, ele se sacrificará para manter a obediência ao regime.

Quando a mulher foi chamada para testemunhar diante do juiz de paz, jurou que o pequeno prisioneiro era quem tinha cometido o roubo. Como não havia ninguém disposto a provar o contrário, o rei foi considerado culpado. A multidão, naquele momento, agitou-se e, quando mostraram que o conteúdo do roubo era um pobre porquinho embrulhado, o juiz fez cara de preocupação, enquanto Hendon empalidecia e seu corpo era tomado pelo arrepio gelado de um desmaio. Mas o rei permanecia imóvel, protegido por sua ignorância. O juiz meditou durante um tempo, que pareceu ameaçador, depois se virou para a mulher e perguntou:

— Quanto vale o que você perdeu?

A mulher fez reverência e respondeu:

— Três xelins e oito pennies, excelência. Eu não poderia abater um tostão e declarar que o valor continua certo.

O juiz olhou incomodado para a multidão, depois chamou o guarda e disse:

— Esvazie a sala e feche as portas.

Foi o que fizeram. Não ficou ninguém, a não ser dois oficiais, o acusado, o acusador e Miles Hendon. Esse então estava rígido e branco e em sua fronte empoçavam-se grossos pingos de um suor gelado que transbordavam e se misturavam com outros, e tudo escorria cara abaixo. O juiz voltou a dirigir-se à mulher e lhe disse, numa voz compassiva:

— Este rapaz é pobre e ignorante e talvez tenha sentido muita fome, porque estes são tempos duros para os desamparados. Preste atenção, veja que ele não tem má expressão, mas quando a fome aperta... Minha boa mulher! Será que você não sabe que, quando alguém rouba acima de treze pennies e meio, a lei manda *enforcar* por isso!?

O pequeno rei surpreendeu-se, arregalou os olhos horrorizado, mas conseguiu controlar-se e ficou quieto. O mesmo, porém, não aconteceu à mulher. Ela deu um pulo, tremendo de medo, e gritou:

— Oh, que pecado, que foi que eu fiz?! Pelo amor de Deus, eu não enforcaria essa pobre criatura por nada neste mundo! Ó, ajude-me, excelência, que devo fazer, que *posso* fazer?

O juiz manteve sua postura judicial e simplesmente respondeu:

— Sem dúvida, vamos ter de rever o valor, já que ainda não foi registrado nos autos.

— Então, em nome de Deus, o porco vale oito pennies, e Deus abençoe o dia em que livrei minha consciência dessa coisa horrível!

Aliviado, Miles Hendon deixou o decoro de lado e surpreendeu o rei, pois, esquecendo-se de sua dignidade, enlaçou-o num abraço carinhoso. A mulher despediu-se agradecida e foi-se embora com o porco; depois que o guarda lhe abriu a porta, seguiu-a até o estreito hall. O juiz começou a escrever nos autos. Hendon, sempre alerta, achou que gostaria de saber por que o guarda seguira a mulher. Então, esgueirou-se silenciosamente até o escuro hall e escutou a seguinte conversa:

— É um porco gordo e promete uma boa mesa. Eu compraria de olhos fechados. Aqui estão seus oito pennies.

— Oito pennies, você está louco? Nunca faria isso! Ele me custou três xelins e oito pennies, em boa e honesta moeda do último reinado, o velho Henrique, que acaba de morrer, que eu nunca vi, nem nunca fiz negócio com ele. Uma figa pros seus oito pennies!

— Vai insistir com essa história? Você estava sob juramento e, portanto, jurou falsamente quando disse que o valor não passava de oito pennies. Venha já comigo à presença de sua excelência e responda pelo crime! Depois, o menino será enforcado.

— Já vi tudo, coração, não diga mais nada, estou satisfeita. Me dê aí os oito pennies e não se fala mais no assunto.

A mulher saiu chorando. Hendon voltou silenciosamente à sala da corte, e logo em seguida à entrada do guarda, que acabara de esconder seu prêmio em algum lugar conveniente. O juiz escreveu ainda um pouco mais, depois fez ao rei uma simpática e sábia preleção e o sentenciou a um curto período de prisão em cela comum, seguido de flagelo público. O rei ficou boquiaberto e esteve a ponto de ordenar ao juiz que fosse decapitado ali mesmo, quando captou um sinal de alarme de Hendon e calou-se antes de dizer qualquer coisa. Hendon segurou-o pela mão, fez reverência ao juiz, e ambos saíram atrás do guarda, em direção à prisão. Quando alcançaram a rua, o inflamado monarca parou, largou da mão de Hendon e exclamou:

— Idiota! Então imagina que eu entraria numa cela comum vivo?

Hendon inclinou-se e disse enfático:

— *Vai* confiar em mim? Calma! E não atrapalhe nossas chances com frases perigosas. Vai acontecer o que Deus quiser. Você não pode apressar nem alterar isso. Portanto, espere, seja paciente. Vamos ter tempo de sobra para nos entristecer, ou nos alegrar, quando o que está para acontecer tiver acontecido*.

---

* **Morte por roubos insignificantes.** Quando Connecticut e New Haven estavam elaborando seus primeiros códigos, o roubo acima de doze pennies era crime capital na Inglaterra desde o tempo de Henrique I. — Dr. J. Hammond Trumbull. *Leis tristes, verdade e mentira*, p. 17.

O interessante livro *O malandro inglês* registra treze pennies e meio como limite, e a morte como fim de quem roubar algo "acima de treze pennies e meio".

XXIV

A fuga

O curto dia de inverno estava para terminar. As ruas encontravam-se desertas, a não ser por uns poucos vagabundos sem destino, que caminhavam depressa, sem desviar-se, como essas pessoas que não veem a hora de se desincumbir de seus afazeres e obrigações para chegar à sua acolhedora casa e abrigar-se do vento nascente e da escuridão iniciante. Não olhavam nem para a direita nem para a esquerda, nem prestavam atenção a nosso grupo. Era como se nem o vissem. Eduardo VI se perguntava se o espetáculo de um rei a caminho da prisão causara tanta indiferença no passado. De repente o guarda se aproximou de uma praça quadrada e deserta e começou a atravessá-la. Quando chegaram ao meio dela, Hendon colocou a mão sobre seu braço e disse, baixinho:

— Espere um momento, meu bom senhor. Ninguém está ouvindo e gostaria de trocar uma palavrinha com você.

— Meu dever me impede, senhor. Por favor, não me retenha, a noite já vem chegando.

— Mas ouça, porque o assunto lhe diz respeito. Vire-se um momento e finja que não vê: *deixe esse pobre rapaz fugir.*

— O que você está dizendo?! Cuidado que posso prendê-lo por...

— Não, não seja tão apressado. Juízo, e não faça nenhuma besteira...

Depois baixou a voz e murmurou no ouvido do homem:

— O porco que você negociou por oito pennies pode lhe custar o pescoço, homem!

O pobre guarda, pego no flagrante, de início ficou mudo, depois encontrou a língua e começou a reclamar e a ameaçar. Mas Hendon estava tranquilo e esperou com paciência até que ele perdesse o fôlego. Depois disse:

— Tenho simpatia por você, companheiro, e não gostaria que nada de ruim lhe acontecesse. Eu ouvi tudo, palavra por palavra. Posso provar.

E repetiu a conversa do oficial com a mulher no hall, palavra por palavra; por fim, arrematou:

— Aí está! Será que falei tudo corretamente? Será que eu não seria capaz de reproduzi-la exatamente diante do juiz, se fosse preciso?

O homem emudeceu de medo e aflição. Em seguida se recompôs e, afetando desembaraço, disse:

— Você está fazendo tempestade num copo-d'água! Só importunei a mulher por brincadeira.

— E ficou com o porco da mulher por brincadeira?

O homem respondeu zangado:

— Nada disso, meu bom senhor. Eu lhe disse que tudo não passou de brincadeira.

— Estou começando a acreditar em você, disse Hendon, num tom de voz que combinava sarcasmo e convicção. — Mas me espere um pouco aqui enquanto vou perguntar a sua excelência, pra ter certeza, já que ele é homem experiente em leis, em brincadeiras, em…

E foi se afastando enquanto falava. O guarda hesitou, inquieto, tossiu uma ou duas frases, depois gritou:

— Espere, espere, meu bom senhor. Por favor, espere um pouco… o juiz! Sabe, ele tem tanta simpatia por brincadeira quanto por cadáver! Venha! Vamos conversar um pouco mais. Deus meu! Parece que me meti numa encrenca e tudo por causa de uma brincadeira boba e inocente. Sou pai de família… minha mulher, os pequenos… Considere, meu bom lorde. Que quer de mim?

— Só que você seja cego, surdo e paralítico enquanto estiver contando até mil, bem devagar — disse Hendon, com a expressão de quem só está pedindo um favorzinho de nada.

— É o meu fim! — disse o guarda desesperado. — Ó, seja razoável, meu bom senhor. Analise a questão de todos os ângulos e verá que não passa de brincadeira… tá na cara que não passa disso. E, mesmo que alguém julgasse que não foi brincadeira, é uma falta tão sem importância que o máximo que podia acontecer era eu levar uma repreensão ou uma advertência do juiz.

Hendon retrucou com uma gravidade tal que enregelou o ar:

— Sua brincadeira tem um nome na lei, sabia?

— Não sabia! Sei que fui imprudente. Nunca pensei que tivesse nome. Oh, céus, pensei que fosse original.

— Sim, tem nome. A lei chama esse crime de *non compos mentis lex talionis sic transit gloria mundi*.

— Jesus Cristo!

— E o castigo é a morte!

— Deus tenha piedade de mim, um pecador!

— Tirando vantagem de alguém que errou, por estar em grande perigo, e, para seu proveito, apossando-se de mercadoria acima de treze pennies e meio, depois de ter pago uma ninharia por ela! Isso, aos olhos da lei, é chantagem premeditada, crime de traição, conduta ilegal em serviço, *ad hominem expurgatis in statu quo*... e a pena é a morte por enforcamento, sem fiança, nem comutação, nem direito a foro especial.

— Me segure, me segure, meu bom senhor, minhas pernas estão bambas! Seja misericordioso. Me salve dessa catástrofe, que eu viro de costas e não vou ver nada do que está acontecendo.

— Ótimo! Agora, seja inteligente e razoável. Vai devolver o porco?

— Devolvo, devolvo, sim, nunca mais vou botar a mão em outro, mesmo que os céus o mandem e um arcanjo o entregue. Vá... vou ficar cego para a fuga... não vejo nada. Vou dizer que você atacou e libertou o prisioneiro de minhas mãos à força. É uma boa história. Vou martelar nela da meia-noite até o dia amanhecer.

— Isso mesmo, boa alma. Nenhum mal vai te acontecer. O juiz foi bom e caridoso para com este pobre rapaz e não vai derramar lágrimas nem ranger os dentes por causa da fuga dele.

XXV

A casa Hendon

Assim que Hendon e o rei escaparam do guarda, sua majestade foi instruído a correr para determinado lugar, fora da cidade, e esperar ali, enquanto Hendon voltava à estalagem para acertar as contas. Meia hora mais tarde, os dois amigos cavalgavam alegremente na direção leste, montados no pobre cavalo de Hendon. O rei agora estava aquecido e confortável, pois se desvencilhara dos farrapos e se vestira com as roupas que Hendon comprara para ele numa loja de artigos de segunda mão, na Ponte de Londres.

Hendon evitava cansar o menino em demasia. Achava que viagens estafantes, refeições irregulares e poucas horas de sono podiam afetar sua cabeça doente, enquanto o repouso, a regularidade e o exercício moderado contribuiriam para a cura. Torcia para que aquela mente doentia se recuperasse e suas alucinações desaparecessem. Portanto, resolveu seguir viagem para a casa, de onde fora expulso havia tanto tempo, por etapas, em vez de obedecer ao impulso de sua impaciência e viajar correndo noite e dia.

Umas dez milhas depois, chegaram a um povoado de tamanho razoável, onde pernoitaram em boa estalagem. As antigas formalidades foram retomadas: Hendon ficou atrás da cadeira do rei, enquanto este jantava, e esperou por ele. Tirou-lhe a roupa quando estava pronto para ir para a cama. Depois, arrumou o chão para dormir e se estirou atravessado na porta, enrolado num cobertor.

Nos dias seguintes trotaram preguiçosamente, comentando as aventuras que tinham protagonizado, desde que se encontraram até que se separaram, cada um deliciando-se com a narrativa do outro. Hendon contou em detalhes sua longa peregrinação em busca do rei e como o arcanjo o levara a uma disparatada viagem através da floresta e finalmente o reconduzira à cabana, quando concluiu que não ia conseguir se livrar dele. Então, relatou ele, o velho entrou no quarto e voltou cambaleante; parecia condoído e disse que esperara que o rapaz tivesse voltado e se deitado ali para descansar, mas isso não acontecera. Hendon esperou na cabana o dia todo. A esperança da volta do rei esmorecera, e ele partiu à sua procura outra vez.

— Aquele velho sanctum sanctorum estava realmente triste porque vossa alteza não voltara. Vi em seu rosto — disse Hendon.

— Tomara que eu nunca duvide disso! — disse o rei, e contou a seguir sua própria história, depois do que Hendon se arrependeu de não ter destruído o arcanjo.

Durante o último dia da viagem, os pensamentos de Hendon voavam. A língua trabalhava constantemente. Falou do velho pai e do irmão Arthur e contou muitas coisas que ilustravam seus caracteres elevados e generosos. Falou sobre delírios amorosos com Edith, e estava de tão bom humor que era até capaz de dizer algumas coisas gentis e fraternas a respeito de Hugh. Não conseguia deixar de pensar no encontro iminente na casa dos Hendon e na surpresa que seria para todo mundo e como ia ser um transbordamento de agradecimentos a Deus e de alegrias.

Era uma região bonita, pontilhada de casas de campo e pomares, e a estrada atravessava pastos cuja vastidão, marcada por pequenas elevações e baixadas, lembrava as ondulações altibaixas do mar. À tarde, o filho pródigo fez inúmeros desvios no trajeto para ver se, subindo alguma colina, podia vislumbrar um pedacinho de sua casa. Enfim, pôde ver alguma coisa e gritou excitado:

— Lá está a vila, meu príncipe, e ali a casa, bem perto! Dá pra ver as torres. E a floresta ali... aquele é o parque de meu pai. E *agora* você vai conhecer o que é ter posição e grandeza! Uma casa de setenta cômodos... já pensou nisso? E vinte e sete criados! Ótima estalagem para pessoas como nós, não é verdade? Vamos, vamos depressa. Não aguento mais esperar.

Arrancaram o mais depressa possível. Mesmo assim, já passava das três horas quando chegaram à vila. Atravessaram-na correndo, com Hendon matraqueando sem parar:

— Esta é a igreja... coberta com a mesma hera, nada se perdeu, nada se acrescentou. Mais adiante fica a estalagem, o velho Leão Vermelho, e mais adiante ainda o mercado. Aqui está a praça e a bomba. Nada mudou... a não ser o povo, pelo menos. Dez anos faz diferença no povo, parece que conheço alguns, mas nenhum deles me reconhece.

E lá se foi tagarelando, até que chegaram rapidamente ao fim da vila. Enveredaram por uma estrada estreita e cheia de curvas, ladeada por altos muros, e correram por ela aproximadamente meia hora, passando depois por um grande jardim de flores, através de um imponente portão, cujos grandes pilares de pedra mostravam divisas militares esculpidas. Uma nobre mansão se abria diante deles.

— Bem-vindo à casa Hendon, meu rei! — exclamou Miles. — Este é um grande dia! Meu pai, meu irmão e lady Edith, de tão loucos de alegria, não vão falar de outra coisa, senão de mim, assim que a gente se encontrar, de forma que você vai achar que está sendo mal recebido. Mas não se preocupe. As coisas vão mudar logo de figura, porque quando disser a eles que você é meu pupilo e quanto gosto de você, verá como o abraçarão, palavra de Miles Hendon, e tornarão esta casa e seus corações seu eterno lar!

Em seguida, Hendon correu para a porta de entrada, ajudou o rei a descer, tomou-o pela mão e entrou correndo. Algumas passadas o levaram a uma espaçosa sala. Entrou, sentou o rei, mais com pressa do que com cuidado, depois correu em direção a um jovem que estava sentado numa escrivaninha, diante de uma generosa lareira.

— Me abrace, Hugh — gritou ele —, e diga que está contente por me ver de novo! Chame nosso pai, porque o lar só será lar quando eu tocar sua mão, olhar seu rosto e ouvir sua voz outra vez.

Mas Hugh apenas se afastou, depois da momentânea surpresa, e lançou um grave olhar para o intruso… olhar indicativo de que, de início, ele se sentira um pouco ofendido em sua dignidade; depois, em virtude de algum pensamento ou propósito, assumira uma expressão de curiosidade divertida, mesclada de compaixão real ou simulada. Disse ternamente:

— Sua mente parece perturbada, forasteiro. Com certeza, você sofreu privaçòes e apanhou muito da vida; sua aparência e as roupas revelam isso. Por quem você me toma?

— Por quem o tomo? Pelo amor de Deus, por quem mais, senão por quem você é? Hugh Hendon — disse Miles contundente.

O outro continuou dócil:

— E quem você imagina que é?

— Imaginação não tem nada a ver com isso! Vai me dizer que não está me reconhecendo como seu irmão Miles Hendon?

Uma expressão de alegre surpresa irradiou-se pelo rosto de Hugh, que exclamou:

— O quê! Você está brincando? Será que os mortos podem voltar à vida? Deus seria louvado se isso acontecesse! Nosso pobre e desaparecido rapaz de volta a nossos braços, depois de todos esses anos cruéis! Ah! Parece bom demais para ser verdade, *é* bom demais para ser verdade. Peço-lhe, por piedade, não brinque comigo! Rápido, venha para a luz... deixe-me examiná-lo melhor!

Pegou Miles pelo braço, levou-o até a janela e começou a devorá-lo com os olhos dos pés à cabeça, virando-o de um lado para o outro e parando bruscamente à sua volta e à sua frente, para examiná-lo por todos os ângulos, enquanto o filho pródigo, não se contendo de alegria, sorria, gargalhava e continuava a balançar a cabeça dizendo:

— Vamos, vamos, irmão, não tenha medo. Você não vai encontrar em mim nem traço nem membro que não passe no teste. Reviste e reconheça, a seu bel-prazer, meu caro velho Hugh. Sou, de fato, o velho Miles, o mesmo velho Miles, seu irmão perdido, não é mesmo? Ah! É um grande dia... eu *disse* que era um grande dia! Me dê a mão, me dê o rosto. Oh, Deus! Parece que vou morrer de pura alegria!

Estava para se atirar sobre o irmão, mas Hugh o interrompeu com a mão, depois deixou o queixo cair sobre o peito, compassivamente, e disse emocionado:

— Ó! Deus de misericórdia, dai-me forças para revelar a triste notícia!

Surpreso, Miles não conseguiu falar por alguns instantes. Aí, recuperou a fala e gritou:

— *Que* notícia? Eu não sou seu irmão?

Hugh balançou a cabeça tristemente e disse:

— Peço aos céus que isso possa se confirmar e que outros olhos encontrem as semelhanças que se escondem dos meus. Pobre de mim, temo que a carta tenha revelado a verdade.

— Que carta?

— A que veio do continente, seis ou sete anos atrás, dizendo que meu irmão tinha morrido em combate.

— Mentira! Chame o pai, ele me reconhecerá.

— Não se pode chamar o morto.

— Morto?

A voz de Miles tornou-se fraca e seus lábios tremeram.

— Meu pai morreu! Que notícia triste! Metade de minha alegria se foi. Por favor, me deixe ver meu irmão Arthur, ele vai me reconhecer. Vai me reconhecer e me consolar.

— Ele também está morto.

— Ó, Deus, tende piedade de mim. Sou um homem atormentado! Foram-se, ambos se foram... os bons são levados e os maus poupados, em mim! Ó, misericórdia. Não me diga que lady Edith...

— Está morta? Não, está viva.

— Louvado seja Deus, minha alegria se completou outra vez! Rápido, irmão, vá buscá-la! Se *ela* disser que eu não sou eu, mas não, *ela* não vai fazer isso. Sou tolo por duvidar disso. Vá buscá-la, irmão, traga também os velhos criados. Eles me reconhecerão.

— Todos se foram, menos cinco: Peter, Halsey, David, Bernard e Margaret.

Dizendo isso, Hugh saiu. Miles ficou pensativo por um momento, depois começou a andar pela sala, murmurando:

— Os cinco vilões sobreviveram aos vinte e dois leais e honestos... que estranho!

Continuou andando de um lado para o outro, falando consigo mesmo. Esquecera-se do rei por completo. Aos poucos e com um toque de verdadeira compaixão, embora as próprias palavras pudessem ser interpretadas ironicamente, sua majestade disse com gravidade:

— Não ligue para esse infortúnio, meu bom homem. Existem outras pessoas neste mundo cuja identidade lhes é negada e cujas reivindicações são ridicularizadas. Você não está só.

— Ó, meu rei — gritou Hendon, corando levemente —, não me condene. Ela vai me reconhecer. Você vai ouvir isso dos lábios mais doces da Inglaterra. Eu, impostor? Por que, se conheço esta velha casa, os quadros de meus antepassados, e todas essas coisas que estão a nossa volta, como uma criança conhece seu berçário? Nasci e fui criado aqui, meu senhor. Estou dizendo a verdade. Eu não o decepcionaria. Se ninguém mais acreditar em mim, peço-lhe, não duvide *você* de mim. Eu não ia aguentar.

— Não estou duvidando — disse o rei, com fé e simplicidade infantis.

— Eu agradeço do fundo do coração! — exclamou Hendon, com um fervor que traía a emoção. Com a mesma simplicidade o rei acrescentou:

— Você duvida de *mim*?

Hendon se sentiu culpadamente confuso e agradecido quando a porta se abriu para deixar passar Hugh e tirá-lo do embaraço.

Uma bonita senhora, vestida luxuosamente, vinha atrás de Hugh, e, depois dela, entraram vários criados em uniforme de serviço. A senhora caminhava devagar, cabeça baixa, olhos no chão. A expressão era indizivelmente triste. Miles Hendon deu um pulo e gritou:

— Ó, minha Edith, minha querida…

Mas Hugh o interrompeu gravemente e disse à senhora:

— Olhe para ele. Você o reconhece?

Ao som da voz de Miles, a mulher olhara furtivamente e suas faces coraram. Agora tremia. Ficou parada algum tempo, depois levantou a cabeça e fitou Hendon com expressão petrificada e temerosa. O sangue fugiu-lhe do rosto, gota a gota, até que não restou nada, além de uma palidez mortal acinzentada. Depois disse, com voz tão mortiça quanto o rosto:

— Não o conheço!

Virou-se então e, com um lamento e um suspiro contidos, deixou a sala.

Miles Hendon deixou-se cair numa cadeira e cobriu o rosto com as mãos. Depois de algum tempo, o irmão disse aos criados:

— Vocês o observaram. Podem reconhecê-lo?

Eles balançaram a cabeça. Então o patrão disse:

— Os criados não o reconhecem, senhor. Temo que tenha se enganado. Você viu que minha mulher também não o reconheceu.

— *Sua* mulher?!

Num instante Hugh estava pregado à parede, com uma gargalheira de aço a lhe apertar o pescoço.

— Ah, seu miserável, entendi tudo! Você mesmo deve ter escrito a carta, e a noiva roubada e as propriedades são seu fruto. Agora me deixe partir, antes que eu suje minha honra de soldado com a morte de um boneco tão digno de pena!

Hugh, rosto afogueado e quase sufocado, arrastou-se até a cadeira mais próxima e ordenou que os criados prendessem e amarrassem o assassino. Eles hesitaram, e um disse:

— Ele está armado, senhor Hugh, e nós não temos armas.

— Armado? E daí, vocês são tantos! Em cima dele, vamos!

Mas Miles advertiu-os que tomassem cuidado com o que iam fazer e acrescentou:

— Vocês me conhecem de outros tempos… eu não mudei. Vamos, venham que eu mostro.

O convite não animou muito os criados, que permaneceram parados.

— Vão, então, bando de covardes, vão pegar as armas e guardar as portas, enquanto escolho alguém para ficar de guarda — disse Hugh, voltando-se para a porta e ameaçando Miles:

— É melhor não reagir com inúteis tentativas de fuga.

— Fugir? Não se dê esse incômodo, que é tudo o que o preocupa. Miles Hendon é o senhor da casa Hendon e de todas as suas propriedades. Ele ficará. Não duvide disso.

XXVI

A renúncia

O rei ficou pensativo por alguns momentos, depois olhou para cima e disse:

— É estranho… muito estranho. Não consigo entender.

— Não, não é nada estranho, meu soberano. Eu conheço ele e essa conduta é muito natural. Ele sempre foi mau-caráter, desde que nasceu.

— Oh, eu não estava falando *dele*, *sir* Miles.

— Não estava falando dele? Então de quê? Que é que é estranho?

— Que não tenham sentido a falta do rei.

— Como? O quê? Acho que não entendi.

— Mesmo? Não lhe parece estranho que o país não esteja cheio de mensageiros e proclamas descrevendo minha pessoa e me procurando? Não causa comoção e apreensão que o chefe da nação tenha partido, que eu tenha desaparecido e me perdido?

— Claro, meu rei, tinha me esquecido — Hendon suspirou e murmurou baixinho: — Pobre mente doentia… ainda ocupada com seu sonho patético.

— Mas tenho um plano que vai ajudar nós dois. Vou escrever um documento em três línguas: latim, grego e inglês, que você deve levar imediatamente para Londres, amanhã de manhã. Não o entregue a ninguém, a não ser a meu tio lorde Hertford. Quando ele o vir, vai saber que fui eu que o escrevi. E vai mandar me procurar.

— Não seria melhor, meu príncipe, a gente esperar aqui, até que eu prove minha identidade e assegure os direitos que tenho a meus domínios? Dessa forma, eu me sentiria muito mais capaz de…

O rei interrompeu-o imperiosamente:

— Escute bem! Que são seus vis domínios, seus interesses mesquinhos, comparados com assuntos que dizem respeito ao bem-estar da nação e à integridade do trono? — Depois acrescentou, gentil, como se tivesse ficado chateado com sua severidade: — Obedeça e não tenha medo. Vou reabilitá-lo, farei você voltar a ser o que era antes... sim, vou fazer mais que isso. Vou me lembrar de tudo e vou recompensá-lo.

Dizendo isso, pegou da pena e sentou-se para começar o trabalho. Hendon o contemplou amorosamente um pouco, depois disse a si mesmo:

— Se estivesse escuro, pensaria que *era* o rei que estava falando. Não tem como negar; quando ele encarna o personagem, fica igualzinho a um rei de verdade. Agora, onde ele arrumou essa brincadeira? Vejo que rabisca e apaga, contente com seus garranchos sem sentido, imaginando que são latim e grego, e, a não ser que me apareça uma ideia genial para distraí-lo desse seu propósito, serei forçado a fingir que levo a carta amanhã, nesta missão perigosa que ele arranjou para mim.

Em seguida, os pensamentos de *sir* Miles tinham voltado ao episódio recente. Estava tão absorto que, quando o rei lhe deu o documento que estivera escrevendo, recebeu-o e colocou-o no bolso, sem perceber o que estava fazendo. Murmurava:

— Que estranha a sua forma de agir. Acho que ela me reconheceu e *não* me reconheceu. São opiniões conflitantes, posso ver claramente, mas não consigo reconciliá-las, nem posso rejeitar nenhuma das duas ou mesmo persuadir uma em favor da outra. A questão é simplesmente a seguinte: ela *deve* ter reconhecido meu rosto, meu corpo, minha voz, como poderia ser de outra forma? No entanto, *disse* que não me conhecia, e essa é uma prova perfeita, porque ela é incapaz de mentir. Mas espere... acho que estou começando a entender. Pode ser que ele a tenha influenciado... mandado nela... exigido que ela mentisse. Eis a solução! A charada está resolvida. Parecia que ela estava morta de medo, sim, ela estava sob pressão. Vou procurá-la, encontrá-la, agora que ele está longe, ela vai me dizer a verdade. Vai se lembrar dos velhos tempos, quando brincávamos juntos, e isso vai amansar seu coração, ela não vai mais ser desleal, vai me dizer a verdade. Não, ela sempre foi honesta e verdadeira, não existe uma gota de traição em seu sangue. Ela me amou naquele tempo, esta é minha certeza, porque não se pode ser desleal com alguém que se amou um dia.

Dirigiu-se animadamente para a porta. Nesse momento, ela se abriu, e lady Edith entrou. Estava muito pálida, mas tinha o andar firme, e o porte era cheio de graça e gentil dignidade. Tinha o rosto tão triste como antes.

Miles adiantou-se com a alegre certeza de ir a seu encontro, mas ela o deteve com um gesto apenas perceptível, e ele parou onde estava.

Ela sentou-se e pediu que ele fizesse o mesmo. Dessa forma, acabou tirando dele o ar de camaradagem, transformando-o num estranho e num hóspede. Ficou tão surpreso com isso, o inesperado era tão surpreendente, que ele começou a se perguntar, a certa altura, se, afinal de contas, era realmente a pessoa que estava fingindo ser.

Lady Edith disse:

— *Sir*, vim alertá-lo. Talvez os loucos não possam ser persuadidos a abandonar suas loucuras, mas certamente podem ser persuadidos a evitar os perigos. Acho que esse seu sonho parece verdadeiro para você, por isso não é crime. Mas não permaneça aqui com ele, porque então será perigoso. — Olhou firmemente para o rosto de Miles, por um instante, depois acrescentou com voz impressionante: — Mais perigoso ainda porque você *é* muito parecido com o que nosso pobre rapaz teria se tornado, se tivesse vivido.

— Meu Deus, senhora, mas eu *sou* ele!

— Estou convencida de que realmente acredita nisso, senhor. Não duvido de sua honestidade, mas quero alertá-lo, é tudo. Meu marido é o senhor da região, seu poder não conhece limites, o povo progride ou morre de fome, segundo sua vontade. Se não se parecesse com o homem que diz ser, meu marido o deixaria divertir-se em paz com seu devaneio. Mas, acredite em mim, conheço ele bem, sei do que é capaz. Dirá a todos que o senhor não passa de impostor e logo todos dirão a mesma coisa. — Voltou a lançar a Miles o mesmo olhar penetrante e acrescentou: — Se o senhor *fosse* Miles Hendon e ele soubesse disso, assim como todo o povoado — considere o que estou lhe dizendo, pese tudo muito bem —, o senhor estaria correndo o mesmo perigo e seu castigo não seria menos certo. Ele o negaria, o denunciaria, e ninguém seria corajoso o suficiente para acreditar no senhor.

— Sinceramente acredito no que está me dizendo — confessou Miles amargamente. — O poder que leva um amigo de toda a vida a trair e a desonrar o outro é muito encontradiço em lugares onde o pão e a vida estão à beira da forca, onde nenhum laço de lealdade e honra é levado em conta.

Por instantes, um leve rubor coloriu as faces da senhora, e ela fitou o chão. Mas a voz não denunciava nenhuma emoção enquanto prosseguia:

— Já o adverti, e devo insistir, precisa partir imediatamente. Esse homem vai destruí-lo, acima de tudo. É um tirano que não conhece piedade. Eu, que sou sua escrava acorrentada, sei disso. Pobre Miles,

Arthur e meu querido guardião, *sir* Richard, estão livres dele e descansam. Melhor seria que você também estivesse com eles, em vez de sofrer aqui, nas garras desse canalha. Suas pretensões são uma ameaça ao poder e às posses dele. O senhor o agrediu em sua própria casa, estará perdido se permanecer. Vá… não hesite. Se precisa de dinheiro, pegue esta bolsa, por favor, e suborne os criados para que eles o deixem passar. Ó, pobre alma, tome tento e fuja enquanto é possível.

Miles recusou a bolsa com um gesto, levantou-se e ficou parado na frente dela.

— Faça uma coisa por mim — pediu ele. Fixe seus olhos nos meus, para que eu possa ver se eles ficam firmes. Assim, agora me responda: eu sou Miles Hendon?

— Não. Não o conheço.

— Jure!

A resposta foi fraca mas audível:

— Juro.

— Oh, é inacreditável!

— Corra! Por que perde um tempo precioso? Corra e salve-se.

Nesse momento, os guardas irromperam na sala, e uma violenta luta começou, mas Hendon foi logo subjugado e levado embora. O rei também foi preso, e ambos foram amarrados e levados para a prisão.

XXVII

Na prisão

As celas estavam todas lotadas, portanto, os dois amigos foram acorrentados num amplo recinto onde ficavam os acusados de pequenos delitos. Tinham companhia, pois já havia ali uns vinte prisioneiros, de ambos os sexos e de idades variadas — uma gangue desonesta e barulhenta. O rei se exasperou amargamente com a suprema indignidade que se abatera sobre sua realeza, mas Hendon estava mal-humorado e taciturno. Completamente atordoado. Voltara para casa como alegre filho pródigo, esperando encontrar todo mundo louco de alegria por seu regresso, mas, em vez disso, fora recebido friamente e preso. A expectativa e sua realização colidiram de tal forma que o efeito fora estonteante. Ele não sabia definir se estava mais para o trágico ou para o grotesco. Sentia-se como alguém que tivesse saído dançando alegremente para saudar o arco-íris e houvesse sido fulminado por um raio.

Mas, aos poucos, os pensamentos, confusos e atormentados, acomodaram-se numa espécie de ordem e sua mente concentrou-se em Edith. Virou seu comportamento do avesso e examinou-o por todos os ângulos, mas não conseguiu chegar a uma solução satisfatória. Será que ela o reconhecera? Ou não? Era um quebra-cabeça desconcertante, que lhe ocupou a atenção por longo tempo, mas acabou achando que ela o tinha reconhecido, mas o repudiara por motivos interesseiros. Tinha ímpetos de enlamear seu nome com palavrões, mas esse nome fora sagrado para ele durante tanto tempo que não conseguia profaná-lo.

Embrulhados nos cobertores fétidos e esfarrapados da prisão, Hendon e o rei passaram uma noite atribulada. Subornado, o carcereiro fornecera bebida alcoólica a alguns prisioneiros; o resultado foi que eles cantaram canções picantes, brigaram, gritaram e farrearam. Até que, logo depois da meia-noite, um homem atacou uma mulher e quase a matou, batendo nela com suas algemas, antes que o carcereiro pudesse vir em seu socorro. Ele restaurou a ordem dando uma bela surra no homem, na cabeça e nos ombros. Só então a farra acabou e todos puderam dormir, ou melhor, aqueles que não se incomodaram com os gemidos e os resmungos dos dois feridos.

Durante a semana seguinte, os dias e as noites foram de uma mesmice monótona. Homens, de cujos rostos Hendon se recordava mais ou menos claramente, vinham, durante o dia, dar uma olhada no "impostor", repudiá-lo e insultá-lo e, durante a noite, a farra e a confusão continuavam com simétrica regularidade.

No entanto, houve finalmente uma mudança na cena. O carcereiro trouxe um velho e lhe disse:

— O bandido está neste quarto. Deixe que seus velhos olhos vasculhem por aí e veja se pode dizer quem ele é.

Hendon levantou os olhos e pela primeira vez teve uma sensação agradável desde que entrara na prisão. Disse a si mesmo:

— Mas é Blake Andrews, um criado que passou toda a vida na casa da família de meu pai — boa e honesta alma, de coração correto. Isto é, antes. Porque ninguém é autêntico agora, são todos mentirosos. Esse homem vai me reconhecer... e negar que me conhece, como os outros.

O velho olhou pelo quarto, observou cada um dos rostos e, finalmente, disse:

— Só vejo ladrões desprezíveis, a escória das ruas. Quem é ele?

O carcereiro riu.

— Aqui — disse ele —, examine esse grande animal e me dê sua opinião.

O velho aproximou-se e observou Hendon, longa e atentamente, depois balançou a cabeça e disse:

— Por Deus, *este* não é Hendon... nem nunca foi!

— Certo! Seus olhos ainda funcionam. Se eu fosse sir Hugh, pegaria esse traste e...

O carcereiro acabou a frase fingindo enforcar-se com uma corda imaginária, ao mesmo tempo que fazia um som com a garganta, imitando sufocação. O velho disse vingativamente:

— Deixe ele honrar a Deus, que nada de mal vai lhe acontecer. Se *eu* conseguir botar as mãos naquele bandido, ele vai acabar assado, ou não me chamo Blake Andrews!

O carcereiro soltou uma prazerosa risada de hiena e disse:

— Faça uma brincadeira com ele, velho, todo mundo faz isso. Vai achar divertido.

Depois enveredou pela antecâmara e desapareceu.

O velhinho ajoelhou-se e sussurrou: — Deus seja louvado, o senhor está de volta, meu amo! Pensei que estivesse morto, durante esses sete anos, mas, não! Aqui está o senhor de volta, vivo! Reconheci o senhor no ato e me custou muito manter as aparências e fingir que não tinha visto ninguém aqui, a não ser ladrões desprezíveis e a escória das ruas. Sou velho e pobre, *sir* Miles, mas diga uma palavra que eu vou em frente e espalho toda a verdade, mesmo que seja estrangulado.

— Não — disse Hendon —, não faça isso. Ia prejudicá-lo e não ia me ajudar muito. Mas lhe agradeço, porque me trouxe de volta um pouco da confiança na humanidade que eu tinha perdido.

O velho criado tornou-se muito valioso para Hendon e para o rei, pois passava por ali várias vezes ao dia, para "abusar" do primeiro, e sempre trazia clandestinamente algumas poucas guloseimas para ajudar na dieta da prisão. Também trazia novidades. Hendon reservava as guloseimas para o rei, pois sem elas sua majestade não teria sobrevivido, pois não conseguia engolir a gororoba que o carcereiro trazia. Andrews era obrigado a fazer visitas breves, para evitar suspeitas, mas conseguiu passar um monte de informações de cada vez — sussurradas, para a proteção de Hendon, e entremeadas com epítetos insultantes, ditos em altos brados, para a proteção dos ouvintes.

Assim, pouco a pouco, a história da família veio à tona. Arthur morrera havia seis anos. Essa perda, somada à ausência de Hendon, baqueara a saúde do pai, que, acreditando que ia morrer, quis ver Hugh e Edith estabelecidos na vida. Mas Edith pediu tempo, pois esperava Miles. Aí veio a carta contando que Miles morrera. O choque deixou *sir* Richard prostrado; acreditava que seu fim estava muito próximo, e tanto ele quanto Hugh insistiram no casamento. Edith pediu, e obteve, prazo de um mês, depois outro e finalmente um terceiro. O casamento foi feito no leito de morte de *sir* Richard. Mas não foram felizes. Comentava-se no povoado que, logo depois das núpcias, a noiva encontrara, entre os papéis do marido, vários rascunhos da fatídica carta e o acusara de maquinar o plano para precipitar o casamento e a morte de *sir* Richard.

Todo mundo contava casos de crueldade com *lady* Edith e os criados. Desde a morte do pai, *sir* Hugh deixara cair a máscara e se tornara despótico com todo aquele que dependesse dele e de seu poder para sobreviver.

Parte dos mexericos de Andrews interessava vivamente ao rei.

— Andam dizendo por aí que o rei está louco. Mas, por caridade, não contem a ninguém que *eu* comentei isso, pois dizem também que tocar nesse assunto é morte na certa.

Sua majestade encarou o velho e disse:

— O rei *não* está louco, bom homem, e você devia cuidar do que mais diretamente lhe diz respeito, em vez de se preocupar com essas bobagens.

— Que é que o rapaz está dizendo? — perguntou Andrews, surpreso pelo assalto ter vindo daquele flanco. Hendon lhe fez sinal e ele interrompeu o assunto, mas continuou mexericando:

— O falecido rei vai ser enterrado em Windsor, em um ou dois dias — o décimo sexto do mês —, e o novo rei será coroado em Westminster, no vigésimo.

— Acho que antes vão ter de encontrá-lo — murmurou sua majestade, completando confiante: — Mas eles vão cuidar disso… eu também.

— Em nome de…

Mas o velho não continuou: um sinal de alerta de Hendon interrompeu-lhe a observação. Retomou o fio da conversa:

— *Sir* Hugh vai à coroação com grandes expectativas. Tem certeza de que vai voltar como nobre, pois caiu nas graças do lorde-protetor.

— Que lorde-protetor? — perguntou sua majestade.

— Sua alteza, o duque de Somerset.

— Que duque de Somerset?

— Com a breca, só tem um… Seymour, conde de Hertford.

O rei perguntou contundente:

— Desde quando *ele* é duque e lorde-protetor?

— Desde o último dia de janeiro.

— Por favor, quem o nomeou?

— Ele mesmo e o grande conselho, com a ajuda do rei.

Sua majestade sobressaltou-se impetuosamente:

— O *rei*! — gritou. — *Que* rei, bom senhor?

— Ora essa, que rei! (Misericórdia, que deu nesse rapaz?) Já que só temos um, não é difícil responder — sua mais sagrada majestade, rei

Eduardo VI, que Deus o guarde! Sim, aquele louquinho querido e gracioso que ele é... se está louco ou não — dizem que ele varia todos os dias —, os elogios a ele estão na boca do povo, e todos o abençoam do mesmo jeito e oram para que ele viva muito para reinar na Inglaterra, porque ele começou com humanidade, salvando a vida do duque de Norfolk, e agora está querendo destruir as leis cruéis que afligem e oprimem o povo.

Essas informações embasbacaram sua majestade e o arrastaram para um devaneio profundo e sombrio; ele não ouviu mais a conversa do velho. Perguntava-se se o "louquinho" não seria o mendigo que deixara vestido com suas roupas no palácio. Não lhe parecia possível, porque, claro, as maneiras e a forma de falar o trairiam, se fingisse passar--se pelo príncipe de Gales; seria expulso e se tentaria encontrar o verdadeiro príncipe. Será que a nobreza entronizara algum filho de nobre em seu lugar? Não, seu tio não teria permitido, era todo-poderoso e podia esmagar tal movimento, claro. As suposições do rapaz não deram em nada. Quanto mais tentava desvendar o mistério, mais perplexo ficava, mais sua cabeça latejava e pior ele dormia. A impaciência por chegar logo a Londres crescia a cada momento e a prisão se tornava quase insuportável.

Todas as artimanhas de Hendon falharam com o rei — ele estava inconsolável. Duas mulheres, acorrentadas perto dele, conseguiram, porém, melhor resultado. Com suas pregações, encontrou paz e aprendeu a ter um pouco de paciência. Ficou bastante agradecido e chegou a gostar muito delas e a apreciar sua doce e amável companhia. Perguntou-lhes por que estavam presas e, quando responderam que eram batistas, sorriu e perguntou:

— Mas isso é crime que se puna com cadeia? Agora fico triste, porque vou perder vocês... eles não vão mantê-las aqui por tão pouca coisa.

Não responderam, mas algo em seu rosto inquietou o menino, que disse ansiosamente:

— Vocês não respondem. Sejam boazinhas e me contem... não vai haver nenhuma outra punição? Por favor, digam-me que não temos de temer isso.

Elas tentaram desconversar, mas ele estava muito ansioso e insistia:

— Vão açoitá-las? Não, não, não seriam tão cruéis! Diga que eles não farão isso. Vamos, eles não *farão*, não é mesmo?

Embora confusas e incomodadas, elas não tinham por que negar uma resposta, portanto uma delas disse, bastante emocionada:

— Ó, espírito gentil, você parte nossos corações. Deus vai nos ajudar a suportar nossa...

— É uma confissão! — o rei explodiu. — Então eles vão flagelá-las, esses canalhas desalmados! Mas, não, ó, não chorem, não posso suportar. Sejam corajosas que eu vou reaver o que me pertence a tempo de salvá-las dessa coisa horrível, e vou conseguir!

Quando o rei acordou na manhã seguinte, as mulheres tinham partido.

— Estão salvas! — disse ele, contente. Depois acrescentou, desapontado: — Pobre de mim! elas eram meu conforto.

Cada uma delas tinha deixado um pedaço de seu brasão alfinetado em sua roupa, como lembrança. Ele prometeu guardá-los para sempre e procurar em breve aquelas boas amigas, para colocá-las sob sua proteção.

Nesse exato momento, o carcereiro entrou com alguns subordinados e mandou que os prisioneiros fossem conduzidos ao pátio da prisão. O rei estava radiante: seria uma bênção ver o céu azul e respirar ar puro outra vez. Irritou-se e impacientou-se com a lerdeza dos guardas, mas finalmente chegou sua vez e ele foi retirado dali, com ordem de acompanhar os demais prisioneiros, juntamente com Hendon.

O pátio era pavimentado com pedras e a céu aberto. Os prisioneiros entravam através de uma maciça arcada de pedra e eram colocados em fila, de pé, encostados à parede. Uma corda era estendida diante deles, que ficavam sob a vigilância dos guardas. Era uma manhã fria e escura, e a neve brilhante, que caíra toda a noite, embranquecia o grande espaço vazio e tornava o local ainda mais lúgubre. De vez em quando, um vento invernoso fustigava o ambiente e provocava redemoinhos na neve.

No centro do pátio havia duas mulheres acorrentadas em postes. Um relance revelou ao rei que eram suas boas amigas. Estremeceu e disse consigo mesmo:

— Meu Deus, não foram libertadas, como eu imaginara. E pensar que pessoas como elas são obrigadas a conhecer o flagelo! Na

Inglaterra! Nossa, que vergonha! — não entre os pagãos, mas na Inglaterra cristã! Serão castigadas, e eu, a quem elas confortaram e por quem gentilmente rogaram, devo olhar e ver a grande iniquidade. É estranho, muito estranho, que eu, a própria fonte do poder de todo este reino, seja incapaz de protegê-las. É bom que esses patifes se cuidem, pois há de chegar o dia em que exigirei pesada reparação por tudo isso. Cada chicotada aplicada agora vai lhes custar cem depois.

Abriu-se um grande portão e uma multidão entrou. Aglomeraram-se em volta das duas mulheres, que não puderam mais ser vistas pelo rei. Um padre entrou, atravessou a multidão e também desapareceu. O rei ouvia agora umas conversas à sua frente e às suas costas, como se perguntas fossem feitas e respondidas, mas não conseguia entender o que estava sendo dito. Em seguida houve certo alvoroço e preparativos, muito corre-corre de guardas, naquela parte da multidão que estava atrás das mulheres, enquanto um pesado silêncio foi tomando conta dos populares.

Agora, a uma ordem, a massa afastou-se para um canto, e o rei presenciou um espetáculo que o gelou até a medula dos ossos. Tinham colocado lenha em volta delas e um homem, ajoelhado, estava acendendo o fogo!

As mulheres baixaram as cabeças e cobriram o rosto com as mãos. Chamas amarelas começaram a subir entre a lenha estalante e coruscante e nuvens de fumaça azul, para depois espalhar-se com o vento. O padre juntou as mãos e começou uma prece. Duas jovens arremessaram-se portão adentro e, lançando gritos lancinantes, jogaram-se sobre as mulheres nas estacas. Foram imediatamente arrancadas dali pelos guardas, que amordaçaram uma delas, mas a outra gritava livremente que queria morrer com a mãe e, antes que pudesse ser impedida, enlaçou os braços novamente ao redor do pescoço da mãe. Foi arrancada dali outra vez, a roupa em chamas. Dos três homens, dois a seguraram, e o pedaço de sua roupa que estava queimando foi arrancado e jogado, em chamas, para um lado, enquanto ela se debatia para libertar-se, dizia que agora ia ficar abandonada no mundo e implorava que a deixassem morrer com a mãe. Ambas gritavam sem parar e lutavam para se desvencilhar, mas subitamente o tumulto foi abafado por uma rajada de gritos pungentes de mortal agonia. O rei desviou o olhar das moças sofredoras para a fogueira, depois se virou e encostou o rosto enegrecido contra a parede, para não olhar mais. Disse:

— O que acabo de ver neste exato momento nunca mais me vai sair da lembrança, vai se encravar aí, e eu vou enxergar isso todos os dias e sonhar com isso todas as noites, até minha morte. Quisera Deus eu fosse cego!

Hendon, que estava observando o rei, disse a si mesmo com satisfação:

— Sua mente transtornada parece que se acalmou. Se fosse seguir sua vontade, a esta hora já teria se enfurecido com esses biltres, declarado que era o rei e ordenado que as mulheres fossem libertadas sem agressão. Logo, logo a alucinação vai passar e sua pobre cabeça ficará boa outra vez. Que Deus apresse esse dia!

Naquele mesmo dia, chegou uma leva de prisioneiros para pernoitar; sob custódia, vinham de várias regiões do reino para cumprir pena. O rei conversou com eles — estabelecera como princípio preparar-se para as funções régias através de entrevistas com prisioneiros, sempre que possível — e o que ouviu partiu-lhe o coração. Um deles era uma pobre mulher meio abobada que roubara uma jarda ou duas de tecido de um vendedor. Ia ser enforcada. Outro era um homem acusado de roubar um cavalo. Disse que não se havia provado nada e imaginara-se livre da forca. Mas, infelizmente, acabara de ser solto quando foi acusado de matar um cervo nos parques do rei. Isso foi provado e agora estava a caminho da forca. Havia um aprendiz de vendedor cujo caso intrigou particularmente o rei. O jovem contou que certa tarde encontrou um falcão que fugira do dono e o levou para casa, imaginando que podia ficar com ele. Mas a corte o julgou culpado de roubo e o sentenciou à pena de morte.

O rei ficou furioso diante dessas desumanidades e queria que Hendon quebrasse as cadeias e voasse com ele para Westminster, para que pudesse subir ao trono e empunhar o cetro em benefício daquela pobre gente e salvar suas vidas.

— Pobre criança! — suspirou Hendon —, essas histórias horríveis afetaram a cabeça dele novamente. Mas, para sua triste sorte, até que ele ficou bem, por pouco tempo.

Entre os prisioneiros havia um velho advogado — homem de rosto forte e ar corajoso. Três anos antes, escrevera um panfleto contra o lorde chanceler, acusando-o de injustiça, e fora punido com a perda das orelhas, no pelourinho, exonerado em tribunal pleno, além de multado em 3 000 libras e sentenciado à prisão. Mais tarde, reincidiu e agora fora sentenciado a perder *o que restava das orelhas*, pagar fiança de 5 000 libras, ter ambas as faces marcadas com ferro em brasa e permanecer na prisão para o resto da vida.

Estas cicatrizes são honrosas — disse ele, virando a cabeça grisalha e mostrando os tocos do que antes foram orelhas.

Os olhos do rei incendiaram-se de cólera e ele disse:

— Ninguém acredita em mim, nem você, decerto. Mas não tem importância. Dentro de um mês você será libertado. E mais, as leis que o desonraram e envergonharam o nome inglês serão varridas da constituição. O mundo está errado. Os reis deviam experimentar essas leis de vez em quando para aprender a ser tolerantes*.

---

* Dentre os vários tipos de roubo, a lei negava expressamente o direito a foro especial aos seguintes: era caso de forca roubar cavalo, falcão ou tecido de algodão do vendedor. Da mesma forma, matar cervo da floresta do rei ou exportar ovelhas do reino. — Dr. J. Hammond Trumbull. *Leis tristes, verdade ou mentira*, p. 13.

William Prynne, ilustre advogado, foi sentenciado (muito depois do reinado de Eduardo VI) ao decepamento de ambas as orelhas no pelourinho, à exoneração em tribunal pleno, a pagar fiança de 3 000 libras e à prisão. Três anos depois, ele atacou Laud novamente, em panfleto contra a hierarquia. Foi submetido a outro processo e sentenciado a perder o que ainda havia de orelhas, a pagar fiança de 5 000 libras, a ter ambas as faces marcadas a ferro em brasa com as letras D.I. (Difamador Indisciplinado) e a permanecer na prisão pelo resto da vida. A severidade da sentença foi comparável ao rigor de sua execução. — Ibid, p. 12.

XXVIII

O sacrifício

Nesse ínterim, Miles estava ficando cada vez mais cansado do confinamento e da inação. Mas agora tinha chegado a hora do julgamento, para sua grande satisfação, pois pensou que podia receber bem qualquer sentença, desde que uma prisão subsequente não fizesse parte dela. Enganou-se. Ficou realmente furioso quando percebeu que estava sendo descrito como "vagabundo estúpido" e sentenciado a duas horas de pelourinho, por possuir tal índole e atacar o dono da casa Hendon. A pretensão de ser irmão de seu perseguidor e legítimo herdeiro da fortuna e da honra dos Hendons nem foi apreciada.

A caminho do castigo, ele esbravejava, ameaçava. Em vão. Foi severamente espancado pelos guardas e, de lambuja, levou uma estocada por sua conduta irreverente.

O rei não conseguia abrir passagem por entre a multidão que se aglomerava atrás, por isso foi obrigado a seguir na fila, longe de seu bom amigo e criado. O próprio rei por pouco não foi parar no pelourinho, por estar em tão má companhia, mas foi despachado com um sermão e uma advertência, dada sua pouca idade. Quando a multidão finalmente parou, ele esgueirou-se agitado de um lado ao outro da aglomeração, procurando passagem, e, finalmente, depois de muitos tropeços, conseguiu. Ali estava sentado seu pobre criado, no degradante pelourinho, alvo das chacotas de uma multidão suja — ele, o próprio criado do rei da Inglaterra! Edward ouvira a sentença, mas não atinara nem com a metade do que ela significava. Encolerizava-se à medida que percebia o alcance dessa nova iniquidade que se abatera sobre ele. Explodiu quando viu um ovo cruzar o ar e espatifar-se contra o rosto de Hendon e ouviu a multidão urrar de prazer com o fato. Pulou no meio da arena e enfrentou o guarda de serviço, aos berros:

— Tenha vergonha! Este é meu criado. Solte-o! Sou o...

— Oh, por favor! — exclamou Hendon em pânico. — Você vai se dar mal. Não ligue pra ele, guarda, não bate bem.

— Não se dê ao trabalho de pensar se me incomodo com esse garoto, bom homem. Estou pouco me lixando com ele, mas, para lhe dar uma lição, aí sim, deixe comigo.

Virou-se para um subordinado e ordenou:

— Dê umas duas chicotadas no garoto, só para ele sentir o gostinho e tomar tento.

— É melhor dar logo meia dúzia — sugeriu *sir* Hugh, que parara ali um instante para dar uma olhada no andamento das coisas.

O rei foi preso. Nem disse ai, tão aterrorizado estava só de pensar no ultraje monstruoso que ameaçavam perpetrar contra sua sagrada pessoa. A história já fora manchada com o flagelo de um rei inglês. O duro de tudo isso é que ele precisava dar o troco à afronta. Estava entre a cruz e a caldeirinha. Não havia saída: ou suportava o castigo ou pedia perdão. Não era nem um pouco fácil: ele suportaria o castigo — um rei devia fazê-lo, mas um rei não podia pedir.

Mas, nesse momento, Miles Hendon estava resolvendo o problema.

— Deixem o menino em paz — dizia ele —, seus cachorros desalmados! Vejam, é apenas uma criança! Deixem-no. Eu levo as chicotadas no lugar dele.

— Ótimo, bem pensado, agradeço — disse *sir* Hugh, o rosto piscando de sarcástica satisfação. — Deixe o moleque ir embora e dê nesse indivíduo uma dúzia de chicotadas — uma boa dúzia, no capricho. — O rei ia esboçar alguma reação, mas *sir* Hugh o fez calar-se com um argumento de peso:

— Isso, fale à vontade tudo o que lhe der na telha. Só que preste bem atenção: para cada palavra que você disser, ele levará mais seis chicotadas.

Hendon foi tirado do pelourinho, arrancaram-lhe a camisa e, enquanto os açoites lhe eram aplicados, o pobre reizinho virou-se para o outro lado e deixou que lágrimas nada régias rolassem descontroladamente pelo rosto.

— Ó, nobre coração — dizia consigo mesmo —, esse gesto de lealdade jamais se me apagará da memória. Nunca vou me esquecer; nem *eles*! — acrescentou, veemente. Enquanto refletia, seu apreço pela conduta magnânima de Hendon assumia proporções cada vez maiores, assim como sua gratidão por ele. E ponderou:

— Quem salva seu príncipe das injúrias e até da provável morte — e ele fez isso por mim — presta grande serviço. Mas é pouco, não é nada, oh, menos que nada! comparado a seu gesto de salvar o príncipe da vergonha!

Hendon não soltou um grito sequer durante o açoite, suportou as pesadas chicotadas com galhardia de soldado. Isso, somado ao fato de ter redimido o rapaz, levando as chicotadas em seu lugar, fazia com que mesmo aquela turba desconhecida e degenerada, ali reunida, o respeitasse; as chacotas e as vaias foram se extinguindo até que só se ouviu o som das chibatadas. A calma que reinava na praça quando Hendon voltou para o pelourinho contrastava muito com o barulho insultante que predominara ali um pouco antes. O rei acercou-se mansamente de Hendon e lhe sussurrou:

— Os reis não podem enobrecer os bons, ó grande alma, porque Aquele que é maior que todos os reis já fez isso em seu lugar. Mas um rei pode confirmar sua nobreza aos olhos dos homens.

Pegou o açoite do chão, tocou delicadamente com ele as costas ensanguentadas de Hendon e murmurou:

— Eduardo da Inglaterra o nomeia duque!

Hendon comoveu-se. Lágrimas brotavam-lhe dos olhos, mas, ao mesmo tempo, o humor terrível da situação e das circunstâncias amenizava a gravidade, o que era tudo o que ele podia fazer para preservar um pouco de seu júbilo interior da curiosidade de estranhos. Ser subitamente elevado, nu e ensanguentado, do reles pelourinho à altitude e à grandiosidade alpina de um ducado parecia-lhe a última etapa do grotesco. Disse a si mesmo:

— Me sinto num palco, realmente! O cavaleiro fantasma do Reino de Sonhos e Sombras tornou-se duque fantasma! Um voo vertiginoso para asas de pato! Se isso continuar, serei virtualmente enforcado num mastro de verdade, com fantásticas pompas e honras de faz de conta. Mas devo valorizar isso porque, quando nada, é dado com amor. Melhor receber esses pobres títulos de mentirinha, que me são dados espontaneamente, por mão limpa e espírito correto, do que os reais, obtidos por servilismo a um poder invejoso e interesseiro.

Sir Hugh, o terrível, foi-se embora cavalgando e, enquanto se afastava, a parede viva dividiu-se silenciosamente para deixá-lo passar e fechou-se outra vez silenciosamente. E assim permaneceu. Ninguém teve coragem de arriscar uma palavra em favor do prisioneiro, nem mesmo cumprimentá-lo, mas não importa, o silêncio já era uma homenagem que se expressava espontaneamente. Um que chegou atrasado, e não vira as últimas cenas, tirou sarro do "impostor" e ia continuar agitando, com um gato morto, mas foi imediatamente nocauteado e carregado dali em silêncio, e então tudo caiu em profunda quietude outra vez.

XXIX

Para Londres

Quando a temporada de castigo no pelourinho terminou, libertaram Hendon e ordenaram-lhe que deixasse a região e não aparecesse nunca mais. Devolveram-lhe a espada, a mula e o cavalo. Ele montou e partiu, seguido pelo rei, enquanto a multidão lhes dava passagem, em silêncio respeitoso, para dispersar-se depois que se afastaram.

Hendon logo ficou absorto. Havia graves questões pendentes. Que fazer? Para onde ir? Precisava de ajuda poderosa, do contrário podia desistir da herança e, além disso, viver sob o estigma de impostor. Onde poderia encontrar essa ajuda poderosa? Onde, minha nossa! Questão espinhosa. Logo lhe ocorreu uma ideia que apontava para uma saída — remota, sim, a mais remota de todas, mas mesmo assim digna de consideração, na falta de outra. Lembrou-se de que o velho Andrews falara da bondade do jovem rei e de sua generosa defesa em favor dos injuriados e desafortunados. Por que não recorrer a ele e pedir justiça? Ah, tá, mas como é que um mendigo xexelento ia poder aparecer, assim, na augusta presença de um monarca?! Que nada! Melhor deixar o problema se resolver sozinho. Isso só se devia tratar quando e se acontecesse. Era militar tarimbado na arte de bolar táticas e estratégias. Ia encontrar alguma, ah se ia! Pegaria o rumo da capital. Talvez aquele velho amigo de seu pai, *sir* Humphrey, pudesse ajudá-lo… O bom velho *sir* Humphrey, tenente-chefe da cozinha do último rei, ou estábulo, ou alguma coisa…

Não conseguia lembrar-se exatamente. Agora que sabia para onde canalizar as energias, agora que tinha uma meta por alcançar, a bruma de depressão e humilhação que lhe turvara o espírito dissipou-se e ele levantou a cabeça e olhou em volta. Ficou surpreso ao ver quanto já tinham andado. A vila ficara bem para trás. O rei estava mergulhado em recordações, cabisbaixo, também ele tinha planos e pensamentos profundos. Mas uma triste apreensão embaçou a nascente alegria de

Hendon: o rapaz ia querer voltar a uma cidade onde, durante toda a sua breve vida, não conhecera outra coisa senão perversidades e carências? Precisava perguntar, era inevitável, portanto, Hendon parou e indagou:

— Esqueci de perguntar a direção que devemos tomar. Comande, meu soberano.

— Para Londres!

Hendon pôs-se de novo em movimento, profundamente satisfeito com a resposta, mas ao mesmo tempo surpreso.

Toda a viagem transcorreu sem sobressaltos. Mas no final aconteceu algo. Por volta das dez horas da noite do dia dezenove de fevereiro, chegaram à Ponte de Londres, em meio a um tumulto violento, convulsivo, com gente gargalhando e urrando, caras de bebum iluminadas por inúmeras tochas. Nesse momento, a cabeça decapitada de algum duque do antigo reinado, ou de outro poderoso qualquer, despencou no meio deles, esbarrou no cotovelo de Hendon e rolou por entre o tropel de pés. Como são frágeis e instáveis as obras humanas! O último bom rei morreu há três semanas, foi sepultado há três dias, e os adornos que ele levou tanto tempo para escolher entre pessoas proeminentes, para sua nobre ponte, já estão desabando. Um cidadão tropeçou na cabeça e bateu sua própria cabeça nas costas de alguém à frente, que se virou e deu um soco na primeira pessoa que estava perto, que foi, por sua vez, socada pelo amigo daquela pessoa. Era o tempo certo para luta livre, pois as festas do dia seguinte — o dia da coroação — estavam começando. Todos estavam empanturrados de bebida e patriotismo. Em cinco minutos, a luta livre já ocupava boa parte do local. Em dez ou doze, ela cobria um acre, mais ou menos, e estava tornando-se um tumulto. A essa altura, Hendon e o rei já se haviam separado irremediavelmente um do outro e perdido na multidão e no tumulto das massas ululantes. Assim devemos deixá-los.

XXX

O progresso de Tom

Enquanto o verdadeiro rei perambulava pelo país, esfarrapado, esfomeado, ora combatido e ridicularizado pelos vagabundos, ora misturado com ladrões e assassinos numa prisão, chamado de idiota e impostor, o falso rei, Tom Canty, gozava de uma experiência pouco diferente.

Da última vez que estivemos com ele, a realeza começava a mostrar-lhe seu lado brilhante. Esse lado brilhante continuou brilhando cada vez mais: em pouco tempo, tornara-se só claridade e satisfação. Tom perdera o medo. As gafes desapareceram gradualmente, assim como os embaraços, e deram lugar a um comportamento desenvolto e confiante. Desempenhou o papel de bode expiatório até tirar o máximo dele.

Mandava chamar *lady* Elizabeth e *lady* Jane Grey sempre que queria jogar ou conversar e as despachava sempre que se enchia delas, como alguém traquejado em tais *performances*. E já não o perturbava que aquelas sublimes criaturas beijassem sua mão na despedida.

Chegou a gostar de ser levado, à noite, para cama cercado de rituais e ser vestido, no dia seguinte, com cerimônias intrincadas e solenes. Tornou-se verdadeiramente prazeroso dirigir-se ao jantar e ser servido por um elegante batalhão de oficiais de Estado e cavalheiros. Ainda mais que ele dobrara sua guarda de cavalheiros, elevando seu número para cem. Gostava de ouvir os sons dos instrumentos através dos longos corredores e vozes longínquas respondendo:

— Abram caminho para o rei!

Aprendeu até a gostar de sentar-se no trono durante as reuniões de Estado, parecendo ser algo mais do que marionete do lorde-protetor. Gostava de receber grandes embaixadores, com suas magníficas comitivas, e ouvir as mensagens afetuosas que traziam de monarcas ilustres, que o chamavam de "irmão". Oh, feliz Tom Canty, o último da Offal Court!

Adorava suas esplêndidas roupas e pediu mais; achou que quatrocentos criados era pouco para sua grandeza e triplicou-os. A cantilena de adulação dos cortesãos chegou a soar como suave música a seus ouvidos. Continuou gentil e suave, e combatente resoluto e determinado contra tudo o que significasse opressão e empreendeu guerra sem trégua às leis injustas. Mas, quando eventualmente ofendido, voltava-se contra um conde, ou mesmo um duque, e lançava-lhe um olhar que o fazia tremer. Certa feita, sua "irmã" real, a santa e pérfida *lady* Mary, discutiu com ele se era prudente perdoar tanta gente que poderia estar presa ou enforcada, ou queimada, e lembrou-lhe que os calabouços de seu augusto e falecido pai já tinham abrigado seis mil presos de uma só vez e que, durante esse admirável reinado, ele condenara à morte, por execução, setenta e dois mil ladrões e bandidos*. Furioso, o rapaz ordenou que ela se retirasse a seus aposentos e implorasse a Deus que removesse a pedra de seu coração e lhe desse um coração de carne.

Será que Tom Canty nunca se preocupou com o pobre príncipe verdadeiro, que o tratou com tanta gentileza e partiu com tamanho zelo para vingá-lo da ofensa da sentinela, no portão do palácio? Sim, seus primeiros dias e noites foram salpicados de pensamentos sombrios sobre o príncipe perdido e de sinceras esperanças de que regressasse e recuperasse seus legítimos direitos. Mas, como o tempo passava e o príncipe não voltava, a atenção de Tom fixou-se cada vez mais nessas novas e encantadoras experiências e, aos poucos, a lembrança do monarca desaparecido esfumou-se quase por completo. Finalmente, quando aparecia, de tempos a tempos, acabava tornando-se um fantasma incômodo, pois fazia Tom sentir-se culpado e envergonhado.

Quanto a sua pobre mãe e a suas irmãs, as coisas caminharam do mesmo jeito. No começo, Tom sofrera, preocupara-se e sentira saudades delas; contudo, mais tarde, a ideia de que poderiam aparecer ali, esmolambadas e sujas, traí-lo com seus beijos, arrancá-lo daquele aprazível lugar e arrastá-lo à penúria, à degradação e ao cortiço, fê-lo tremer. Por fim, deixaram de atormentá-lo quase por completo. Tom estava contente, feliz mesmo. Mas, sempre que essas tristes e acusadoras faces lhe surgiam, Tom sentia-se mais vil que os vermes.

À meia-noite do dia dezenove de fevereiro, ele ia pegar no sono, em seu rico leito no palácio, guardado por vassalos leais e cercado das pompas da realeza; um rapaz feliz, porque no dia seguinte seria celebra-

---

* *História da Inglaterra*, de Hume.

da sua solene coroação como rei da Inglaterra. Nesse mesmo momento, Edward, o verdadeiro rei, faminto e sedento, sujo e enlameado, exausto da viagem e esfarrapado — por causa de sua participação na luta livre —, estava comprimido na multidão que apreciava, com profundo interesse, bandos de homens apressados, que entravam e saíam da abadia de Westminster como formigas: eram os últimos preparativos para a coroação real.

XXXI

O cortejo de reconhecimento

Quando Tom Canty acordou, na manhã seguinte, o ar pesava sob um som de trovoada, que inundava a região inteira. Mas aquilo era música para ele, pois significava que o mundo inglês mostrava sua força para saudar o grande dia.

Nesse instante, Tom era, mais uma vez, o protagonista de uma soberba exibição sobre o Tâmisa, pois, segundo a tradição, o "cortejo de reconhecimento" através de Londres devia começar pela Torre, e ele estava indo para lá.

Ao chegar, os flancos da venerável fortaleza pareciam ter sido subitamente divididos em mil espaços, e de cada um deles saía uma língua de fogo vermelha e uma lufada branca de fumaça. Seguiu-se uma explosão estrondosa que engolfou os gritos da multidão e abalou a terra. Os rojões, a fumaça e as explosões repetiam-se sem parar, com rapidez maravilhosa, até que, em poucos minutos, a velha Torre desapareceu quase inteira na vasta neblina de sua própria fumaça, menos o cume da alta pilastra, chamado de Torre Branca: ele e suas bandeiras sobrepairavam a densa nuvem de vapor, como o pico de uma montanha projeta-se além da moldura de nuvens.

Tom Canty, esplendidamente vestido, montava um cavalo de manobras do Exército, cujos ricos atavios quase chegavam ao chão. Seu tio, o lorde-protetor Somerset, montado da mesma forma, mantinha-se na retaguarda. A guarda real, alinhada em filas únicas de cada lado, ostentava uma brilhante armadura; depois do protetor, seguia-se uma procissão interminável de resplendentes nobres, seguidos de seus vassalos; depois deles, vinha o lorde prefeito e o corpo dos nobres, com roupas de veludo escarlate e correntes de ouro no peito; depois, os oficiais e os membros de todas as associações de Londres, finamente vestidos, exibindo faixas de diversas corporações. Como guarda especial de honra da cidade, integrava também o cortejo a Antiga e Honorífica Companhia de Artilharia, corporação militar que à época já tinha trezentos anos, única na Inglaterra a deter o privilégio (vigente ainda hoje) de autonomia diante do Parlamento. Um brilhante espetáculo, aclamado pela compacta multidão ao longo de todo o trajeto. O cronista relata:

"O rei, assim que entrou na cidade, foi recebido pelo povo com orações, boas-vindas, gritos, palavras de ternura e todos os gestos que revelam o verdadeiro amor dos súditos ao soberano; e o rei, mostrando-se alegre àqueles que estavam afastados e dirigindo palavras afetuosas aos que estavam próximos, mostrava-se tão agradecido ao receber as boas-vindas do povo quanto por dá-las. A quem lhe desejava boa ventura, ele agradecia. A quem lhe dizia 'Deus abençoe vossa graça', ele respondia 'Deus os abençoe'! 'Eu vos agradeço de todo o coração', ele acrescentava. Maravilhosamente enlevado estava o povo com as respostas e os amáveis gestos de seu rei".

Na rua Fenchurch, uma "garota loira, elegantemente vestida", estava num palco para dar as boas-vindas da cidade à sua majestade. A última estrofe de sua saudação dizia o seguinte:

Bem-vindo, ó rei, tanto quanto os corações possam pensar;
Bem-vindo outra vez, tanto quanto a língua possa falar;
Bem-vindo a línguas alegres e a corações que não murcharão:
Pedimos a Deus que o guarde e lhe desejamos todo o bem.

A multidão explodiu num grito de prazer, repetindo a uma só voz o que a garota dissera. Tom Canty contemplava admirado aquele mar de rostos entusiasmados, e seu coração dilatou-se de entusiasmo; sentiu que nada valia mais a pena no mundo que ser rei e ídolo da nação. Naquele momento reconhecera, à distância, dois companheiros esfarrapados da Offal Court — um deles, o lorde-chefe comandante, em sua última encenação da corte, o outro, o primeiro lorde do quarto de dormir, da mesma peça —; envaideceu-se ainda mais. Oh, se pudessem reconhecê-lo agora! Que glória indizível se pudessem reconhecê-lo e perceber que o ridículo rei de mentira dos cortiços e dos quintais tornara-se rei de verdade, com duques e princesas ilustres como seus humildes servos e o mundo inglês a seus pés! Mas ele teve de dissimular e sufocar o desejo, pois tal reconhecimento lhe seria muito prejudicial. Virou a cabeça e deixou que os dois maltrapilhos prosseguissem com seus gritos e adulações alegres, sem suspeitar quem era a pessoa que estavam aclamando.

A cada momento, ouvia-se o grito:

— Abram caminho! Abram caminho! — E Tom respondia jogando um monte de reluzentes moedas novas para que a multidão recolhesse.

O cronista diz:

"Na última esquina da rua Gracechurch, antes do sinal da Águia, a cidade construíra um esplêndido arco, debaixo do qual havia um palco que ia de um lado ao outro da rua. Era um monumento histórico, representando os progenitores imediatos do rei. Ali estava Elizabeth de York, em meio a uma imensa rosa branca, cujas pétalas formavam primorosos babados a circundá-la. Ladeava-a Henrique VII, que surgia de uma vasta rosa vermelha, disposta da mesma maneira. As mãos do casal real estavam entrelaçadas, e o anel de casamento era ostensivo. Das rosas vermelha e branca despontava um galho que atingia o segundo palco, ocupado por Henrique VIII, que desabrochava de uma rosa branca e vermelha, com a efígie da mãe do novo rei, Jane Seymour, representada a seu lado. Do casal erguia-se um galho que chegava ao terceiro palco, onde se sentava a efígie do próprio Eduardo VI, entronizado rei. Todo quadro era emoldurado com guirlandas de rosas, vermelhas e brancas".

O grandioso e sofisticado espetáculo tanto excitou o entusiasmado público que as palmas quase abafaram a débil voz da criança, a quem cabia explicar a obra através de panegíricos. Mas Tom Canty não ficou chateado, pois aquelas demonstrações de lealdade lhe eram mais melodiosas que qualquer poesia, independentemente da qualidade. Quando Tom inclinou o radiante e jovial rosto, o povo reconheceu a perfeita semelhança entre ele e sua efígie, a contrapartida de carne e osso, e novas ondas de aplauso explodiram.

O grande cortejo seguiu em frente e arco após arco desfilou diante de uma sucessão deslumbrante de quadros espetaculares e simbólicos, cada um dos quais exemplificava e exaltava alguma virtude, talento ou mérito do pequeno rei. "Ao longo de toda a Cheapside, de cada janela e mirante tremulavam bandeiras e faixas; carpetes dos mais ricos, tecidos de lã e de ouro atapetavam as ruas — exemplares das grandes riquezas guardadas nas casas; o esplendor dessa demonstração era repetido em outras ruas e, em algumas, era até maior."

— E todas essas maravilhas e deslumbramentos são para me dar as boas-vindas… a mim! — murmurava Tom Canty.

As faces do falso rei ruborizavam de excitação, os olhos cintilavam, os sentidos nadavam num delírio de prazer. No exato momento em que levantava a mão para atirar mais um rico donativo, ele encarou um rosto pálido, assustado, na segunda fileira da multidão, cujo intenso olhar se fixava nele. Aterrorizou-se: reconhecera a própria mãe! Ergueu a mão, a palma para fora, diante de seus olhos — o antigo e involuntário gesto, fruto de um incidente passado, que se automatizara pelo hábito. Num piscar de olhos, ela atravessou a multidão, driblou a segurança e se aproximou dele. Abraçou-lhe a perna, cobriu-a de beijos e gritou:

— Ó minha criança, meu querido! — e lhe deixou ver um rosto transfigurado de alegria e amor. No mesmo instante, um oficial da guarda real afastou-a com um violento empurrão de seu braço forte, acompanhado de um palavrão, e, quando ela tentou voltar, rechaçou-a aos trambolhões. As palavras: "Eu não conheço você, mulher!" estavam para escapulir da boca de Tom Canty, quando essa triste cena aconteceu, e partiu-lhe o coração vê-la tratada desse jeito. Quando ela virou-se para olhá-lo pela última vez, enquanto a multidão a afastava de seus olhos, parecia tão acabada, tão triste, que Tom sentiu uma vergonha que lhe queimava o orgulho até reduzi-lo a cinzas e apequenava aquela realeza roubada. Seu fausto não tinha valor, parecia cair dele como trapos esfarrapados.

O cortejo avançava, avançava, sob aparato cada vez maior e crescentes avalanchas de saudações, mas para Tom Canty era como se tudo isso não existisse. Não via nem ouvia nada. A realeza perdera a graça e o encanto. A pompa tornara-se vergonhosa. O remorso lhe roía o coração.

— Deus permita que eu me livre deste cativeiro! — desabafou.

Inconscientemente, ele repetia os primeiros dias de sua forçada realeza.

O esfuziante espetáculo prosseguia, como interminável e reluzente serpente, pelas esburacadas ruas de baixo da velha cidade e através da ululante multidão. Mas o rei ainda cavalgava cabisbaixo e ausente, pensamento fixo no rosto de sua mãe e naquele olhar assustadiço.

— Abram caminho! — O grito caiu em ouvido surdo.

— Vida longa a Eduardo da Inglaterra!

Era como se a terra tivesse sido sacudida por uma explosão, mas o rei não reagiu. Ouviu-o como quem ouve o ruído de um vagalhão, quando ele ecoa à distância, porque era amortecido por outro som, mais próximo, em seu próprio peito, em sua consciência acusadora... uma voz que martelava estas palavras vergonhosas:

— Não conheço você, mulher!

Elas rebatiam na alma do rei como as badaladas de um sino de funeral rebatem na alma de um amigo sobrevivente, ao rememorar as traições secretas cometidas por ele contra aquele que se foi.

Novas honras se sucediam a cada momento, assim como novos prodígios e novos deslumbramentos; os sons das baterias de prontidão foram liberados; a multidão continuava extravasando suas emoções, mas o rei não reagia; a voz acusadora que continuava remoendo-lhe o atribulado coração era tudo o que conseguia ouvir.

Logo a alegria dos populares arrefeceu um pouco e tingiu-se de algo próximo a preocupação e ansiedade; os aplausos diminuíram. O lorde-protetor percebeu rápido essas mudanças, e mais rápido ainda sua causa. Emparelhou-se ao rei e disse:

— Meu soberano, o momento não é adequado aos devaneios. As pessoas observam seu semblante deprimido, apático, e o tomam como presságio. Ouça este conselho: desvende o sol da realeza e deixe-o brilhar sobre esses maus fluidos e afugentá-los. Levante a cabeça e sorria para seu povo.

Assim dizendo, o duque jogou um punhado de moedas para a direita e para a esquerda e depois voltou a seu lugar. O falso rei fez mecanicamente o que lhe tinham pedido. Seu sorriso era opaco, mas poucos olhos estavam próximos o suficiente ou eram perspicazes o suficiente para detectá-lo. Os movimentos de sua emplumada cabeça, enquanto acenava aos súditos, eram cheios de graça e elegância; a generosidade que ele atirava à multidão era realmente ilimitada, por isso a ansiedade popular desapareceu e recomeçaram as aclamações, agora muito mais ruidosas.

Uma vez mais, pouco antes do fim do trajeto, o duque foi obrigado a aproximar-se e pregar-lhe outro sermão. Sussurrou-lhe:

— Ó, temível soberano! Livre-se desses humores fatais. Os olhos do mundo estão sobre o senhor. — Depois acrescentou, visivelmente contrariado: — Aquela pobre mendiga foi a causa de tudo! Foi ela que perturbou vossa alteza.

A resplandecente figura lançou um olhar baço ao duque e disse com voz mortiça:

— Ela era minha mãe!

— Meu Deus! — murmurou o protetor, enquanto fazia o cavalo voltar a seu lugar.

— O presságio estava carregado de profecia. Ele enlouqueceu outra vez!

XXXII

O dia da coroação

Vamos voltar algumas horas e nos postar na abadia de Westminster, às quatro da manhã deste memorável dia da coroação. Não estamos sozinhos, pois, embora ainda seja noite, as galerias iluminadas por tochas já estão cheias de gente, satisfeita por ficar sentada ali sem fazer nada, esperando, sete ou oito horas, o momento de ver o que ninguém espera presenciar duas vezes na vida: a coroação de um rei. Sim, Londres e Westminster estão acordadas desde que os tiros de alerta soaram às três horas e, ainda agora, grupos de ricos, mas sem título de nobreza, que pagaram pelo privilégio de tentar encontrar lugar sentado nas galerias bloqueiam as entradas reservadas a pessoas de sua classe social.

As horas arrastam-se tediosas. A agitação parou um pouco, pois as galerias já estão lotadas há muito. Agora podemos sentar-nos e olhar e pensar à vontade. Vislumbramos, aqui, ali e mais adiante, sob a baça luz da catedral, partes de muitas galerias e balcões, apinhadas de gente; as outras partes dessas galerias e balcões ficam fora de alcance, interceptadas por pilares e saliências arquitetônicas. Podemos ver todo o transepto norte — vazio e à espera dos privilegiados da Inglaterra. Vemos também uma ampla área, ou praticável, atapetada com fino tecido, onde fica o trono. O trono ocupa o centro do praticável e projeta-se sobre ele, numa elevação de um metro e trinta centímetros. Dentro do assento do trono encontra-se uma pedra áspera e chata — a pedra de Scone —, sobre a qual gerações de reis escoceses sentaram-se para ser coroados; portanto, com o tempo, isso se tornou sagrado o suficiente para responder aos mesmos anseios dos monarcas ingleses. Tanto o trono quanto seu pedestal estão revestidos com um tecido de ouro.

Reina o silêncio, as tochas piscam mortiçamente, o tempo arrasta-se pesado. Mas, finalmente, a luz tardia do dia impõe-se, apagam-se as tochas, e uma luz suave inunda os grandes espaços. Todos os detalhes do nobre edifício podem ser vistos agora, mas suaves e enevoados, porque o sol está ligeiramente coberto pelas nuvens.

Às sete horas, quebra-se a monotonia, pois neste exato momento os primeiros pares entram no transepto, vestidos com mais esplendor que Salomão, e são conduzidos a seus lugares por um guarda vestido de cetins e veludos, enquanto dois deles levam a longa cauda de uma dama, seguem-na e, quando ela se senta, arrumam a cauda, dobrando-a para ela. Em seguida, um deles coloca o banquinho para os pés no lugar que ela deseja, depois põe sua coroa num lugar ao alcance da mão para quando chegar o momento da coroação simultânea dos nobres.

Neste momento, os pares fluem como um rio cristalino, e os guardas, vestidos de cetim, precipitam-se por todos os lados, acomodando--os e fazendo-os sentir-se confortáveis.

O cenário agora está bastante movimentado. Tem agitação, tem vida e cores cambiantes por todo lado. Momentos depois, o silêncio volta a reinar, pois todos os pares já chegaram e estão acomodados — um sólido canteiro, ou algo parecido, de flores humanas, resplandecentes em seu variado colorido e salpicadas de diamantes, como a Via Láctea. Todas as idades estão aqui: castanhos, enrugados, velhos de cabelos brancos, capazes de voltar ao passado, de remontar mais ainda ao passado, no fluxo do tempo, e recordar a coroação de Ricardo III e os tumultuados dias daquela longínqua época esquecida; há lindas senhoras e jovens matronas graciosas e encantadoras; e jovens gentis e bonitas, de olhos brilhantes e corpos saudáveis, que possivelmente poderão colocar, com inabilidade, suas coroas incrustadas de joias quando o grande dia chegar, porque a ocasião vai ser nova para elas e sua excitação poderá tornar-se um desagradável obstáculo. No entanto, isso poderá não acontecer, pois o cabelo de todas essas damas foi arrumado especialmente para facilitar a colocação da coroa quando o momento chegar.

Vimos que esse grupo de pares está coberto de diamantes e que este é um espetáculo maravilhoso, mas agora é que vamos ficar realmente deslumbrados. Por volta das nove horas, o sol desponta de repente e um raio corta a atmosfera suave e movimenta-se ao longo das fileiras de senhoras, e cada fileira atingida por ele torna-se flamejante, num esplendor estonteante de raios multicoloridos, e nos arrepiamos até a raiz dos cabelos com a faísca elétrica que é lançada sobre nós pela surpresa e pela beleza do espetáculo! Neste momento, um emissário de alguma remota região do Oriente, caminhando com o grupo de embaixadores estrangeiros, atravessa essa barra de sol, e prendemos a respiração, o esplendor que jorra e lampeja e palpita em volta dele é tão espetacular, porque está cravejado de pedras, dos pés à cabeça, e, ao menor movimento, lança chuvas de luz faiscante à sua volta.

Vamos mudar o tempo verbal para nossa conveniência. O tempo passava... uma hora... duas horas... duas horas e meia; então, o forte estrondo de uma artilharia anunciou que o rei e sua grande comitiva enfim tinham chegado, e a multidão ficou feliz. Todos sabiam que se seguiria outro período de espera, pois o rei precisava aprontar-se para a solene cerimônia; mas, enquanto isso, se entreteriam agradavelmente com a multidão dos pares do reino em suas magníficas vestes. Eles eram levados cerimoniosamente a seus lugares e as coroas ficavam bem à mão; nesse ínterim, a multidão das galerias seguia tudo com interesse, pois era a primeira vez que a maioria deles via duques, condes, e barões, cujos nomes já tinham quinhentos anos de tradição. Quando finalmente todos se sentaram, o espetáculo, visto das galerias e de todos os cantos bem situados, era completo — uma maravilha de ver e de lembrar.

Em seguida, os grandes chefes da Igreja, mitrados e paramentados, com seu séquito, dispuseram-se em fila no praticável e sentaram-se nos devidos lugares; foram seguidos pelo lorde-protetor e outros grandes oficiais que, por sua vez, se fizeram acompanhar de um destacamento da guarda vestindo armaduras de aço.

Houve uma pausa. Depois, a um sinal, os acordes triunfais encheram o ambiente, e Tom Canty, envergando uma longa capa de tecido de ouro, apareceu na porta e subiu ao praticável. Todos se levantaram e a cerimônia do Reconhecimento prosseguiu.

Então um magnífico canto litúrgico inundou a abadia com suas suntuosas ondas sonoras; e assim, proclamado e recepcionado, Tom Canty foi conduzido ao trono. O ritual prosseguiu com esplêndida solenidade, para deslumbramento da audiência; e, quanto mais se aproximava do fim, mais Tom Canty empalidecia a olhos vistos, enquanto uma profunda depressão se abatia sobre seu espírito e seu amargurado coração.

Chegamos ao último ato. O arcebispo de Canterbury levantou a coroa da Inglaterra de sua almofada e segurou-a sobre a trêmula cabeça do falso rei. No mesmo instante, um arco-íris reverberante faiscou ao longo do amplo transepto, porque, a um só gesto, cada pessoa do grande grupo de nobres ergueu uma coroa e a pôs em si — e manteve-se nessa atitude.

Um clamor surdo percorreu a abadia. Nesse solene momento, um pavoroso espantalho intrometeu-se na cena; sua presença, que até então passara despercebida da absorta multidão, agora sobressaltava toda a ala central. Era um garoto, sem chapéu, descalço, que vestia grotescos trapos. Levantou a mão com uma solenidade nada condizente com sua lamentável e enlameada aparência e fez a seguinte declaração:

— Proíbo-o de colocar a coroa da Inglaterra nessa falsa cabeça. Eu sou o rei!

Num instante, inúmeras mãos indignadas cravaram-se no rapaz; mas imediatamente Tom Canty, em suas régias vestes, deu um rápido passo a frente e gritou ríspido:

— Soltem-no e acreditem! Ele é o rei!

Uma espécie de pânico se apossou dos presentes, que se levantaram parcialmente e olharam perplexos uns para os outros e para os protagonistas da cena, como alguém que não sabe se está acordado, dormindo ou sonhando. O lorde-protetor estava tão espantado quanto os demais, mas logo se recompôs e disse autoritariamente:

— Não liguem para sua majestade, a doença o atacou de novo. Prendam o vagabundo!

Quase lhe obedeceram, mas o rei de mentira bateu pé e gritou:

— Para sua segurança! Não toque nele. Ele é o rei!

As mãos recuaram. Uma paralisia caiu sobre a casa, ninguém se movia, ninguém falava; na verdade, ninguém sabia o que fazer ou dizer numa situação tão estranha quanto imprevisível. Enquanto todos tentavam a custo recuperar o equilíbrio, o garoto deu um passo à frente, altivo e imponente, e avançou resoluto; e, em meio a perplexidade geral, ele subiu ao praticável, enquanto o rei de mentira corria alegremente em sua direção e caía de joelhos diante dele, dizendo:

— Ó, senhor, meu rei, permita que Tom Canty seja o primeiro a jurar-lhe fidelidade e a dizer: Coloque sua coroa e receba o que é seu outra vez!

O olhar do lorde-protetor caiu friamente sobre o rosto do recém-chegado, mas a frieza logo desapareceu e deu lugar a uma expressão de curiosidade. A mesma coisa aconteceu com os demais oficiais. Entreolharam-se e recuaram num impulso natural e inconsciente. Todos cogitavam a mesma coisa:

— Que estranha semelhança!

Perplexo, o lorde-protetor ponderou um instante e disse com gravidade:

— Com sua permissão, senhor, eu desejava fazer-lhe umas perguntas que...

— Eu as responderei, meu senhor.

O duque fez-lhe muitas perguntas sobre a corte, o último rei, o príncipe, as princesas; o rapaz respondeu-as correta e fluentemente. Descreveu as salas do palácio, os aposentos do último rei, os do príncipe de Gales.

Era estranho, era maravilhoso; sim, era indizível... Quem viu confirmou. A maré começava a virar, e as esperanças de Tom Canty voavam alto, quando o lorde-protetor balançou a cabeça e disse:

— Na verdade, está excelente, mas não é nada a que nosso lorde, o rei, também não possa responder.

Essa observação e a referência a ele próprio como ainda rei entristeceram Tom Canty e ele sentiu as esperanças se desfazer sob seus pés.

— Essas não são *provas* — acrescentou ele.

A maré estava mudando muito rápido agora, na verdade, demasiado rápido, mas na direção errada. Isso deixara o pobre Tom Canty a balançar no trono, enquanto jogava o outro no mar. O lorde-protetor refletia consigo mesmo — balançou a cabeça —, mas o pensamento foi mais forte que ele:

— É perigoso para o Estado e para todos nós permanecer nesse impasse tão fatal. Isso poderia dividir a nação e minar o trono. — Virou-se e acrescentou: — *sir* Thomas, prenda este aqui — Não, espere! — seu rosto iluminou-se, e ele interpelou o candidato esfarrapado: — Onde está o grande sinete? Diga-me com sinceridade e a charada estará resolvida, pois só o verdadeiro príncipe de Gales é *capaz* de responder! E pensar que o trono e a dinastia dependem de algo tão trivial!

Foi uma ideia maravilhosa, brilhante. A prova desse brilhantismo se traduziu na silenciosa aprovação que partia de cada olhar. Sim, ninguém, exceto o verdadeiro príncipe, poderia resolver o teimoso mistério do desaparecimento do grande sinete. O pequeno impostor aprendera bem a lição, mas, naquele ponto, ela lhe seria inútil, pois mesmo seu professor não saberia responder *àquela* pergunta — ah, muito bem, bravo! Vamos nos livrar já, já dessa embaraçosa e perigosa situação!

E assim balançavam a cabeça em sinal de aprovação, intimamente satisfeitos, e tentavam observar naquele garoto idiota algum indício de perturbação por má-fé. Qual não foi sua surpresa ao ver que nada disso acontecera — como ficaram maravilhados ao ouvi-lo responder pronta, confiante e firmemente:

— Não tem nenhuma complicação.

Depois, sem mais delongas, voltou-se e ordenou, com a naturalidade de alguém afeito a esse tipo de coisa:

— Meu lorde St. John, dirija-se a meu gabinete particular no palácio — e ninguém conhece o palácio tão bem quanto o senhor e, perto do chão, no último canto à esquerda, a partir da porta que dá para a antecâmara, encontrará um botão na parede. Pressione-o e uma pequena gaveta de joias vai se abrir, coisa que nem você sabia — não, nem ninguém mais neste mundo, a não ser eu e o artesão de confiança que construiu isso para mim. A primeira coisa que vai aparecer diante de seus olhos será o grande sinete. Tire-o dali.

Todo o mundo ficou espantado e se perguntava se ainda havia mais para ver: um rebotalho de gente dirigir-se assim a um nobre, seguro de si, destemido, chamá-lo pelo nome com toda a naturalidade, como se o conhecesse desde sempre. Surpreso, o nobre não sabia se obedecia. Até fez menção de sair, mas logo recobrou a serenidade e confessou, ruborizado, sua perplexidade. Tom Canty virou-se para ele e perguntou firmemente:

— Por que está hesitando? Não ouviu a ordem do rei? Vá!

Lorde St. John fez uma grande mesura — e todos perceberam que foi cauteloso e precavido; não se dirigia a nenhum dos reis, mas a um território neutro entre ambos — e partiu.

Ocorreu então certa movimentação na porção suntuosa do grupo oficial, vagarosa, quase imperceptível, mas fiel e persistente — movimentação similar à que se observa num calidoscópio que, girado vagarosamente, faz com que os fragmentos de um esplêndido feixe se desintegrem e se acoplem a outro. No nosso caso, a movimentação, aos poucos, dissolveu o grupo que estava perto de Tom Canty e o atraiu novamente à órbita do recém-chegado. Tom Canty quase ficou sozinho. Seguiu-se um breve momento de profundo suspense e espera, durante o qual, mesmo os poucos covardes que ainda permaneciam próximos de Tom Canty juntaram, aos poucos, coragem suficiente para escapar, um por um, para o lado da maioria. Até que, finalmente, Tom Canty, em todo seu resplendor, ficou completamente sozinho e isolado do mundo; um personagem ilustre em ostensiva ociosidade.

Nesse momento, lorde St. John retornava. À medida que se aproximava da ala central, a expectativa era tão intensa que o ti-ti-ti cessou, e sobreveio profundo silêncio, ninguém respirava, de forma que suas passadas ecoavam teimosas e distantes. Todos os olhares convergiam para ele à proporção que caminhava. Chegou ao praticável, deteve-se um momento, virou-se para Tom Canty com elevada deferência e disse:

— Senhor, o sinete não está lá!

O populacho não fugiria mais depressa da peste bubônica do que a malta de pálidos e aterrorizados cortesãos fugiu do esfarrapado reivindicador da coroa. De súbito ele se viu sozinho, sem amigo nem apoio, sob fogo cerrado do escárnio e dos olhares raivosos.

O lorde-protetor gritou furiosamente:

— Joguem o mendigo na rua e expulsem-no da cidade. Esse desgraçado não merece mais consideração!

Os oficiais da guarda avançaram para obedecer, mas Tom Canty fez sinal para que parassem e disse:

— Para trás! Quem tocar nele correrá perigo de vida!

O lorde-protetor chegara ao extremo da perplexidade. Perguntou a lorde St. John:

— Você procurou direito? Mas é melhor não perguntar. Parece estranho. Coisas pequenas, ninharias, se nos escapam, e a gente acaba achando que não têm importância, mas como pode uma coisa tão vultosa, como o sinete da Inglaterra, desaparecer e ninguém ser capaz de dar sinal dele... um maciço disco de ouro...

Tom Canty, radiante, deu um pulo e gritou:

— Esperem, já chega. Era redondo? Grosso? Com letras e gravuras? Sim? Ah! *agora* eu sei como é o grande sinete... depois de todo esse bafafá! Você podia ter descrito ele pra mim três semanas atrás. Agora eu sei onde está, mas não fui eu que pus ele lá... pra começar.

— Quem foi então, meu soberano? — perguntou o lorde-protetor.

— Aquele que está parado ali... o verdadeiro rei da Inglaterra. Ele mesmo dirá onde está. E o senhor vai ver que só ele sabe. Pense, meu rei... puxe pela sua memória... foi a última, na verdade a *última* coisa que você fez naquele dia, antes de sair correndo do palácio, vestido com meus trapos, para punir o soldado que tinha me insultado.

Silêncio geral. Todos os olhos fixaram-se no recém-chegado, que estava parado, cabeça baixa, sobrancelhas franzidas, vasculhando na memória, em meio ao entulho de recordações inúteis, aquele pequenino, indefinível episódio que, se viesse à tona, o conduziria ao trono — do contrário, permaneceria para sempre o que era agora: um mendigo, um traste. O tempo passava — o tempo corria —, e o rapaz ainda lutava em silêncio, sem resultado. Enfim, balançou a cabeça devagar e disse, lábios trêmulos e voz fraca:

— Revivi a cena... todinha... mas o sinete não apareceu.

Fez uma pausa, levantou os olhos e disse com dignidade:

— Senhores, se vão furtar ao verdadeiro soberano o que lhe pertence, porque ele não pode fornecer essa prova, então não tenho autoridade para permanecer aqui. Mas...

— Que loucura, meu rei! — gritou Tom Canty em pânico. — Espere! Pense! Não desista! Nem tudo está perdido! Nem *deve*! Ouça... preste atenção em cada detalhe. Vou reconstituir aquela manhã tim-tim por tim-tim. A gente conversou. Daí eu lhe falei de minhas irmãs, Nan e Bet... ah, sim, você se lembra. E de minha velha avó e das arruaças dos garotos da Offal Court... sim, você também se lembra disso. Bom, então vamos continuar, precisa se recordar de tudo. Você me ofereceu bebida e comida, e com a gentileza de príncipe; mandou o criado se retirar para que eu não me sentisse constrangido diante dele... ah, sim, disso você também se lembra.

À medida que Tom escarafunchava esses fatos e o outro garoto confirmava-os com um movimento de cabeça, todos se mostravam visivelmente embaraçados. A ficção parecia realidade, mas como fora possível esse inconcebível encontro entre um príncipe e um mendigo? Jamais se viu tanta perplexidade, tanta curiosidade e tamanho assombro.

— De brincadeira, meu príncipe, a gente trocou de roupa. Depois fomos pra frente de um espelho, e a gente era tão parecido que até comentou que era como se ninguém tivesse trocado nada... Sim, você se lembra. Depois você notou que o soldado tinha machucado minha mão. Veja! Aqui está. Quase não posso escrever com ela, os dedos ficaram tão duros! Nisso vossa alteza se levantou, jurou vingança ao soldado, correu para a porta e passou por uma mesa. Esse tal de sinete estava em cima dela. Você pegou ele, olhou ansiosamente, como se procurasse um lugar para escondê-lo. Seus olhos caíram sobre...

— Tá bom, é suficiente! Obrigado, bom Deus! — exclamou, bastante excitado, o maltrapilho. — Corra, meu bom St. John; na armadura milanesa pendurada na parede, encontrará o sinete!

— Certo, meu rei! Certo! — gritou Tom Canty. — *Agora* o cetro da Inglaterra é seu outra vez. Melhor seria que os que duvidaram tivessem nascido mudos! Corra, meu lorde St. John, dê asas aos pés!

Agora todos estavam de pé, e ninguém cabia em si de inquietação, apreensão e ardente excitação. No chão e no praticável, corria um nervoso zum-zum, e durante algum tempo ninguém sabia nada, ninguém tinha ouvido nada, nem estava interessado em coisa alguma, exceto no que lhe cochichava o vizinho ou no que ele mesmo cochichava ao vizinho. O tempo... perdera-se totalmente a noção do tempo. Por fim, fez-se súbito silêncio, e no exato momento em que St. John apareceu no praticável, segurando o grande sinete, ouviu-se o grito de:

— Vida longa ao verdadeiro rei!

Por cinco minutos, o ambiente estremeceu, ao som dos gritos e dos instrumentos musicais, e embranqueceu-se, sob as ondas de lenços tremulantes. Em meio a tudo isso um garoto esfarrapado, a mais soberana figura da Inglaterra, permanecia de pé, ruborizado, feliz e orgulhoso, no centro do espaçoso praticável e, ajoelhados a seus pés, estavam os eminentes vassalos do reino.

Todos se levantaram, e Tom Canty gritou:

— Agora, ó meu soberano, receba de volta estas vestes reais e devolva novamente ao pobre Tom, seu criado, esses trapos.

O lorde-protetor interveio:

— Que o pequeno patife seja desnudado e jogado na Torre.

Mas o novo rei, o verdadeiro rei, disse:

— Eu não faria isso. Não fosse ele, eu não teria recuperado minha coroa. Ninguém vai encostar um dedo nele. Você, meu bom tio, meu lorde-protetor, não está sendo justo com esse pobre garoto, pois eu soube que ele o promoveu a duque — o lorde-protetor enrubesceu —; mas ele não era rei. Sendo assim, de que vale seu título agora? Amanhã você virá me implorar, *através dele*, sua confirmação, não de duque, mas de simples conde, que é como vai permanecer.

Diante dessa reprimenda, sua graça, o duque de Somerset, recuou. O rei dirigiu-se a Tom e lhe perguntou gentilmente:

— Meu pobre rapaz, como pôde se lembrar de onde escondi o sinete, se nem mesmo eu sabia?

— Ah, meu rei, foi muito fácil, eu usei o sinete vários dias.

— Usou o sinete e não sabia dizer onde estava?

— Eu não sabia que era *aquilo* que eles procuravam. Ninguém me explicou nada, majestade.

— Então, para que o usava?

O sangue começou a corar as faces de Tom, que baixou os olhos e emudeceu.

— Vamos, diga, bom rapaz, não tenha medo — encorajou o rei. — Para que usava o grande sinete da Inglaterra?

Tom gaguejou um pouco, pateticamente confuso, e confessou:

— Para quebrar nozes!

Coitado! Por pouco não foi arrastado pela torrente de gargalhadas. Mas se ainda havia alguma dúvida de que Tom Canty não era o rei da Inglaterra nem estava familiarizado com os veneráveis objetos da realeza, essa resposta dissipou-a.

Nesse ínterim, a suntuosa túnica fora retirada dos ombros de Tom e colocada sobre os do rei, cujos trapos ficaram escondidos sob ela. A cerimônia de coroação terminara: o verdadeiro rei fora consagrado, a coroa, colocada sobre sua cabeça, e por toda a cidade os canhões trombeteavam o ocorrido. Londres parecia vir abaixo sob as aclamações.

XXXIII

O rei Eduardo

Miles Hendon estava bastante pitoresco antes de entrar no tumulto da Ponte de Londres; ficou ainda mais pitoresco ao sair dela. Entrou com um pouco de dinheiro; saiu sem nada. Os trombadinhas depenaram-lhe até o último centavo.

Não tem importância, foi assim que ele encontrou seu pupilo. Soldado, ele não atacou impetuosamente, antes preparou o terreno para a ofensiva.

Que faria o rapaz naturalmente? Que rumo tomaria? Bem, raciocinava Miles, sem dúvida voltaria para a toca. É a reação instintiva dos debiloides, quando estão desamparados e desolados, tanto quanto dos ajuizados. Mas onde ficava a toca? Os trapos, assim como o velhaco que parecia conhecê-lo e até lhe reclamava a paternidade, indicavam que devia morar num dos bairros mais pobres e desprezíveis de Londres. Será que a busca ia ser longa ou difícil? Não, parece que ia ser fácil e rápida. Não ia caçar o garoto, ia caçar uma multidão: no meio de uma grande ou pequena aglomeração, mais cedo ou mais tarde, encontraria seu pobre amigo, com certeza. A sórdida multidão estaria se divertindo, azucrinando e agredindo o garoto, que, como de hábito, estaria se proclamando rei. Aí Miles Hendon ia quebrar a cara de alguns deles e carregar seu pequeno pupilo, confortá-lo, encorajá-lo com palavras afetuosas, e nunca mais se separariam.

E assim Miles se pôs em campo. Horas e horas embrenhado em becos escuros e ruelas imundas, no rastro de aglomerações; encontrava-as com frequência, mas nem sinal do garoto. Achou muito estranho, mas nem por isso desistiu. Segundo seus cálculos, não havia nada de errado com o plano de campanha. O único problema era que a incursão começava a se arrastar, e ele a imaginara fulminante.

Quando finalmente amanheceu, Hendon tinha andado muitas milhas, bisbilhotado muita gente, mas o único resultado era que estava estropiado, faminto e sonolento. Queria tomar um bom café da manhã, mas não havia como. Não lhe ocorreu que podia pedir, assim como lhe ocorreu penhorar a espada, mas se sentiria como se estivesse indo embora sem a honra. Podia abrir mão de algumas roupas — sim, mas era mais fácil arrumar cliente para uma doença do que para aquelas roupas.

De tarde, ainda estava procurando — agora, entre a multidão que seguia o cortejo real, pois concluíra que o majestoso espetáculo agiria como poderoso chamariz sobre o doidinho. Seguiu a multidão por tudo quanto era canto de Londres, até Westminster e a abadia. Ia pra lá e pra cá, no meio da multidão que se acotovelava nas redondezas, atarantado e perplexo, mas finalmente se surpreendeu pensando num jeito de retocar o plano de ação. Quando deu por si, a cidade tinha ficado bem para trás, e o dia já ia longe. Estava perto do rio, no campo. Era uma região muito chique — não o tipo de bairro para albergar gente de baixa laia como ele.

Como não estava muito frio, estirou-se no chão, ao abrigo de uma sebe, para descansar e pensar. Já ia caindo na modorra quando ouviu o eco distante de um canhão e disse consigo mesmo:

— O novo rei foi coroado.

E adormeceu imediatamente. Não dormira nem descansara nas últimas trinta horas. Não se levantou antes das doze horas do dia seguinte.

Acordou um bagaço, estropiado, faminto; lavou-se no rio, forrou o estômago com meio litro ou um litro de água e marchou em direção de Westminster, resmungando por ter desperdiçado tanto tempo. A fome lhe dera uma nova ideia: ia tentar falar com o velho Humphrey Marlow e pedir que lhe emprestasse algum trocado e... bom, por hora esse plano já era suficiente. Não ia faltar tempo, para incrementá-lo, numa segunda etapa.

Eram quase onze horas quando se aproximou do palácio; embora houvesse por ali um bando de gente vistosa, seguindo na mesma direção, Hendon não estava menos vistoso — sua roupa se encarregava disso. Observava aquelas pessoas com atenção, esperando encontrar uma alma caridosa que se dispusesse a apresentá-lo ao velho tenente. Tentar entrar no palácio por conta própria, nem pensar.

Foi quando nosso bode expiatório passou por ele, virou-se e examinou detidamente a figura, dizendo consigo mesmo:

— Se esse aí não for o vagabundo que está preocupando sua majestade, então eu sou um asno — embora eu já tenha sido assim antes.

Ele bate com a descrição em todos os detalhes. Se Deus tivesse feito dois iguais, seria para baratear os milagres, através de pródiga repetição. Gostaria de encontrar um pretexto para falar com ele.

Miles Hendon tirou-o do impasse; virou-se naquele momento, como costuma acontecer quando se fixa o olhar na nuca de alguém, e, percebendo a grande curiosidade do garoto, dirigiu-se a ele e perguntou:

— Você acaba de sair do palácio, trabalha lá?

— Sim, nobreza.

— Conhece *sir* Humphrey Marlow?

O rapaz sobressaltou-se e disse baixinho:

— Deus! Meu velho pai desaparecido! — Depois respondeu em voz alta: — Muito bem, nobreza.

— Ótimo. Ele está?

— Sim — confirmou o rapaz, acrescentando a si mesmo: — No túmulo.

— Posso lhe pedir o favor de me anunciar a ele e dizer que peço que me receba para uma palavrinha?

— É prá já, bom senhor.

— Então diga a ele que Miles Hendon, filho de *sir* Richard, está aqui fora. Vou ficar eternamente grato a você, meu bom rapaz.

O rapaz parecia desapontado:

— O rei não chamou ele por esse nome — estranhou o bode expiatório —, mas não importa. Este é seu irmão gêmeo e pode fornecer a sua majestade as novas sobre o outro Sir-das-Tantas-e-Quantas, suponho. — Portanto, ele disse a Miles:

— Espere um momentinho que eu já trago a resposta.

Hendon ficou no lugar indicado, uma reentrância na parede do palácio, com banco de pedra — uma guarita das sentinelas durante o mau tempo. Acabara de sentar-se quando alguns alabardeiros, comandados por um oficial, passaram. O oficial o avistou, deteve os homens e mandou que Hendon o seguisse. Ele obedeceu e foi preso no ato, por suspeita de estar rondando as dependências do palácio. As coisas começaram a ficar feias. Pobre Miles, ia se explicar, mas o oficial o silenciou rudemente e ordenou que seus homens o desarmassem e o revistassem.

— Deus misericordioso, tomara que encontrem alguma coisa — disse o desafortunado Miles. Revirei de ponta-cabeça e não achei nada, e olha que estou mais precisado que eles.

206

Só encontraram um documento. O oficial o abriu, e Hendon sorriu ao reconhecer os "garranchos" feitos por seu amiguinho perdido, naquele dia nefasto na casa dos Hendons. O oficial ficava sombrio à medida que lia o parágrafo em inglês, enquanto Miles empalidecia à medida que ouvia.

— Mais um pretendente à coroa! — gritou o oficial. — Credo, agora parece que nascem como coelhos. Prendam o vagabundo, homens, e olho nele, enquanto levo este precioso papel lá dentro e o envio ao rei.

Saiu depressa, deixando o prisioneiro nas mãos dos alabardeiros.

— Agora é que eu me estrepo — murmurou Hendon. — Vou me dar mal por causa daquele pedaço de papel. Com certeza. E o que será de meu pobre rapaz! Ah, só o bom Deus sabe.

Nisso o oficial voltou, todo afobado, e Hendon reuniu toda a coragem, pronto a acertar as contas com o destino, como convém a um homem. O oficial mandou que os homens soltassem o prisioneiro e lhe devolvessem a espada; fez uma reverência respeitosa e disse:

— Tenha a gentileza de acompanhar-me, senhor.

Hendon foi atrás dele, dizendo a si mesmo:

— Se eu não estivesse a caminho do julgamento e da morte, e não precisasse, portanto, economizar nos pecados, eu estriparia esse sujeito, por causa de sua reverência debochada.

Atravessaram um pátio apinhado de gente e chegaram à entrada principal do palácio, onde Hendon foi entregue, com outra reverência, a um elegante oficial, que o recebeu cerimoniosamente e o acompanhou através de um grande *hall*, guarnecido de ambos os lados por imponentes lacaios (que, à medida que ambos passavam, faziam a costumeira reverência, mas mal continham o riso quando nosso esvoaçante espantalho lhes dava as costas); subiram uma ampla escadaria, por entre grupos de nobres, até que Hendon finalmente foi conduzido a uma grande sala, abriram-lhe passagem através da nobreza da Inglaterra, ali reunida, fizeram-lhe reverência e o lembraram de que devia tirar o chapéu; deixaram-no parado no meio do salão, exposto a todos os olhares, às carrancas de indignação e aos risinhos de gozação e escárnio.

Miles Hendon estava completamente apatetado. Ali se encontrava o jovem monarca, sob um luxuoso pálio de dois metros, cabeça inclinada para o lado, conversando com uma espécie de ave-do-paraíso — um duque, talvez. Hendon se perguntava se não era o cúmulo ser sentenciado à morte na flor da idade e ainda ter de suportar tamanha humilhação pública. Que o rei acabasse logo com aquilo; algumas pessoas já estavam se tornando agressivas. Foi quando o rei levantou a cabeça levemente e Hendon pôde encará-lo. Quase desfaleceu! Fitou aquele belíssimo rosto, como que em êxtase, e por fim conseguiu balbuciar:

— Vejam! O Senhor do Reino dos Sonhos e das Sombras em seu trono!

Murmurou algumas frases truncadas, ainda atarantado e maravilhado, olhou em volta, examinou o imponente grupo e o majestoso salão e disse:

— Mas é *real* — na verdade, é *real* — com certeza não é sonho.

Tornou a olhar o rei e se perguntou:

— *Será* sonho? *Será* ele o verdadeiro soberano da Inglaterra, e não o pobre e abandonado joão-ninguém por quem o tomei? Quem poderia resolver esse quebra-cabeça?

Uma súbita ideia faiscou-lhe pelos olhos; Hendon encaminhou-se para um canto, pegou uma cadeira, trouxe-a de volta, colocou-a no chão e sentou-se!

Ouviu-se um murmúrio de indignação, uma rude mão caiu sobre ele e uma voz ordenou:

— De pé, palhaço mal-educado! Ninguém se senta em presença do rei!

O alvoroço chamou a atenção do monarca, que estendeu a mão para frente e gritou:

— Não toquem nele. É seu direito!

A multidão recuou, estupefata. O rei continuou:

— Saibam todos, *ladies*, lordes e cavalheiros, que este é meu fiel e bem-amado servo Miles Hendon, que com sua espada salvou seu príncipe da agressão física e possivelmente da morte. Por isso, ele tornou-se cavalheiro, por determinação do rei. Saibam também que, em virtude de um elevado gesto, por meio do qual Hendon salvou seu soberano do flagelo e da vergonha, tomando-os a si, ele se fez nobre inglês, conde de Kent, com direito a toda a fortuna que sua posição lhe proporciona. Mais... o privilégio que ele acaba de exercer foi uma dádiva real, pois nós ordenamos que os chefes de sua linhagem terão e manterão o direito de sentar-se em presença da majestade da Inglaterra, daqui por diante, geração após geração, enquanto perdurar a coroa. Não o molestem.

Dois retardatários, que tinham chegado do campo aquela manhã e estavam no salão havia só cinco minutos, ficaram ouvindo essas palavras e olhando para o rei, depois para o espantalho, de novo para o rei, numa espécie de letargia. Eram *sir* Hugh e *lady* Edith. Mas o novo conde não os via. Continuava fitando o monarca, aparvalhado, e murmurando:

— Oh, Deus do céu! *Este* é o meu mendigo! Meu lunático! Foi a ele que eu pretendi mostrar a grandiosidade de minha casa de setenta cômodos e setenta e dois criados! Ele, que não conhecia nada além de trapos como roupa, chutes como carinho e bucho como dieta! Foi ele que *eu* adotei e queria tornar respeitável! Quem me dera ter um saco para enfiar a cabeça!

E começou a lembrar-se de seu comportamento, caiu de joelhos, com as mãos entre as do rei, jurando fidelidade e agradecendo pelas terras e pelos títulos. Depois, ergueu-se e ficou de lado, respeitosamente, ainda exposto a todos os olhares — e a muita inveja também.

Entrementes, o rei avistou *sir* Hugh e gritou, terrível e ameaçador:

— Desmascarem esse farsante, confisquem os bens que ele roubou e o trancafiem até segunda ordem.

E o retardatário *sir* Hugh foi levado.

Houve certo rebuliço na extremidade oposta do salão. A audiência afastou-se, e Tom Canty, vestido de maneira sóbria, mas elegante, desfilou por um corredor humano, precedido de um escudeiro. Ajoelhou-se diante do rei, que disse:

— Fui informado sobre o que aconteceu nas últimas semanas e fiquei muito satisfeito. Você reinou com dignidade e clemência. Reencontrou sua mãe e suas irmãs? Bom, elas deverão ser protegidas e seu pai, enforcado, se for esse seu desejo e se a lei permitir. Proclamo que, de agora em diante, os asilados do Christ's Hospital, que partilham a generosidade do rei, devem receber alimento para o corpo e para o espírito. Este rapaz deverá residir ali e ocupará o cargo máximo de sua honorável diretoria, em caráter vitalício. E, visto que ele foi rei, deve adotar outras posturas; portanto, ele se fará distinguir por seu uniforme e por ele será reconhecido, e ninguém deverá imitá-lo; aonde quer que vá, deverá lembrar às pessoas que foi rei e ninguém poderá lhe negar o direito à reverência e à saudação. Ele esteve sob a proteção do trono e ao amparo da coroa e será conhecido e chamado pelo honorável título de guarda do rei.

O orgulhoso e feliz Tom Canty levantou-se, beijou as mãos do rei e foi conduzido para fora. Não perdeu tempo: correu ao encontro da mãe e de Nan e Bet, a fim de partilhar com elas as boas novas*.

* Uma nota sobre o Christ's Hospital ou Blue Coat School, "a mais nobre instituição do mundo":

O terreno em que se ergueu o mosteiro dos franciscanos foi doado por Henrique VIII à Corporação de Londres (que ali fundou um orfanato para crianças pobres). Depois, Eduardo VI providenciou que o velho mosteiro fosse condignamente restaurado e estabeleceu ali a nobre instituição que passou a chamar-se Escola do Casaco Azul, ou Christ's Hospital, encarregada de educar e manter órfãos e filhos de indigentes... Edward não o deixaria partir (o bispo Ridley) antes que a carta estivesse pronta (para o prefeito), e, em seguida, encarregou-o de entregá-la e assinar seu pedido e ordem especiais de que se agilizasse o que fosse necessário e de que o avisassem do encaminhamento do processo. O trabalho foi zelosamente realizado, tendo o próprio Ridley se engajado nele, e o resultado foi a fundação do Christ's Hospital para a Educação de Crianças Pobres. (O rei fez inúmeras outras caridades ao mesmo tempo.)

— Bom Deus — disse ele —, peço-lhe de todo o coração que me dê vida suficientemente longa para concluir esse trabalho para a glória de seu nome!

Esta vida inocente e mais do que exemplar chegou rapidamente ao fim e, em poucos dias, entregou a alma ao Criador, pedindo a Deus que defendesse o reino do papismo. — J. Heneage Jesse, *Londres, suas personalidades e lugares célebres*.

Na Grande Sala está pendurado um grande retrato do rei Eduardo VI, sentado em seu trono, com uma capa escarlate, enfeitada com arminho, segurando o cetro com a mão esquerda e apresentando, com a outra, a escritura ao prefeito, ajoelhado. A seu lado está o chanceler, segurando os sinetes, e, perto dele, outros oficiais de Estado. O bispo Ridley está ajoelhado diante dele, com as mãos levantadas, como se suplicasse uma bênção para o acontecimento, enquanto os seus conselheiros, com o prefeito, ajoelhados de ambos os lados, ocupam a parte central do quadro; e finalmente, em frente, uma dupla fileira, de meninos, de um lado, de meninas, de outro, acompanhados de seus mestres, que dão um passo à frente das respectivas fileiras e ajoelham-se, com as mãos postas diante do rei. — Timb. *Curiosidades de Londres*, p. 98.

Por tradição o Christ's Hospital tem o privilégio de dirigir-se ao soberano por ocasião de sua visita à cidade, para partilhar a hospitalidade da Corporação de Londres. — Ibidem.

A Sala de Jantar, com seu vestíbulo e galeria do órgão, ocupa o andar inteiro, que mede 57 metros de comprimento por l5,5 de largura e l4 de altura, é iluminado por nove grandes janelas, cobertas com vidros coloridos na face sul e é, junto com a Sala de Westminster, a mais nobre sala da metrópole. Ali os meninos, neste momento em número de 800, jantam, e ocorrem os "Jantares para o Público", aos quais os visitantes são admitidos mediante ingressos, emitidos pelo tesoureiro e pelos diretores do Christ's Hospital. As mesas são guarnecidas com queijo servido em tigelas de madeira, cerveja em canecos de madeira, vertida de botas de couro, e o pão trazido em grandes cestos. Os convidados oficiais entram: o prefeito, ou o presidente, senta-se numa luxuosa cadeira feita de carvalho da Igreja de Santa Catarina, perto do Torre; canta-se um hino, acompanhado pelo órgão; um "Grego", ou paraninfo, lê as preces do púlpito, sendo o silêncio reforçado pela três batidas de um martelo de madeira. Depois da oração, tem início o jantar, e os visitantes passeiam entre as mesas. No final, os "meninos comerciantes" apanham cestos, tigelas, espetos, tinas e candelabros e passam em procissão, fazendo uma reverência curiosamente formal aos diretores. Este espetáculo foi presenciado pela rainha Vitória e pelo príncipe Albert, em 1845.

Dentre os mais eminentes dos Rapazes do Casaco Azul, estão Joshua Barnes, editor de Anacreonte e Eurípedes; Jeremiah Markland, famoso crítico, especialmente de literatura grega; Camden, antiquário; o bispo Stillingfleet; Samuel Richardson, romancista; Thomas Mitchell, tradutor de Aristófanes; Thomas Barnes, durante muitos anos editor do *Times* de Londres; Coleridge, Charles Lamb e Leigh Hunt.

Não se admite nenhuma criança com menos de sete anos ou com mais de nove; e não se permite que nenhum rapaz permaneça na escola depois dos quinze, com exceção dos meninos do rei e dos "gregos". Há cerca de quinhentos diretores, liderados pelo soberano e pelo príncipe de Gales. A remuneração do diretor é de quinhentas libras. — Ibid.

CONCLUSÃO

Justiça e retribuição

Quando tudo se esclareceu, soube-se, pelo depoimento de Hugh Hendon, que sua esposa repudiara Miles por ordem sua, naquele dia na casa Hendon — ordem reforçada pela ameaça perfeitamente crível de que, se ela não negasse que ele era Miles Hendon, Hugh lhe tiraria a vida. Ao que ela respondeu que o fizesse, que não valia a pena — ela não repudiaria Miles. O marido lhe disse, então, que a pouparia, mas mandaria matar Miles! A situação mudara de figura, e ela deu-lhe a palavra e a manteve.

Hugh não foi julgado por suas maldades nem por roubar as propriedades e o título do irmão, já que a esposa e Miles não podiam testemunhar contra ele, e não seria permitido que a primeira o fizesse, mesmo que quisesse. Hugh a abandonou e foi para o continente, onde morreu. Logo o conde de Kent casou-se com a viúva. Houve muita festa na vila de Hendon quando o casal visitou a casa pela primeira vez.

Do pai de Tom Canty, nunca mais se ouviu falar.

O rei procurou o fazendeiro que fora ferreteado e vendido como escravo, tirou-o da perniciosa companhia da gangue do Arrepiado e lhe propiciou uma vida decente.

Libertou também o velho advogado da prisão e perdoou-lhe a pena. Providenciou boas casas para as duas jovens que ele viu na fogueira e puniu exemplarmente o guarda que chicoteou Miles Hendon.

Salvou da forca o rapaz que caçara o falcão perdido, e também a mulher que roubara um pedaço de tecido de um comerciante, mas chegou muito tarde para proteger o homem que fora condenado por ter matado um cervo na floresta real.

Mostrou-se generoso para com o juiz que se compadecera dele, quando fora acusado de roubar um porco, e teve a satisfação de vê-lo progredir na vida pública e tornar-se importante e honrado.

Enquanto viveu, o rei não se cansou de contar suas peripécias, de cabo a rabo, desde o momento em que a sentinela o expulsou dos portões do palácio até aquela meia-noite decisiva, quando ele habilmente se misturou a um grupo de trabalhadores apressados, e assim chegou à abadia, onde se escondeu no confessionário e dormiu tanto que quase perdeu a coroação. Dizia que a constante repetição dessa preciosa lição o mantinha firme no propósito de transformar o que aprendera em benefício para seu povo. Assim, enquanto lhe restou vida, continuou a contar essa história, para reavivar aqueles tristes episódios, e a piedade lhe inundava o coração.

Miles Hendon e Tom Canty foram os favoritos do soberano, durante todo o seu curto reinado, e seus sinceros pranteadores, quando ele morreu. O bom conde de Kent tinha muita sensibilidade para não abusar de seu peculiar privilégio, e o exerceu em duas ocasiões, depois da que vimos, antes de partir deste mundo — uma, na coroação da rainha Maria, a outra, na coroação da rainha Elizabeth. Um de seus descendentes também o exerceu, na coroação de Jaime I. Antes disso, o filho de um deles resolveu lançar mão da prerrogativa, quase um quarto de século depois, e o "privilégio dos Kents" desapareceu da memória das pessoas. Assim, quando certa vez um Kent apareceu diante de Carlos I e de sua corte e sentou-se, para assegurar e perpetuar o direito de sua linhagem, houve sério rebuliço! Mas tudo se esclareceu rapidamente, e o direito foi confirmado. O último conde da estirpe morreu na guerra civil, lutando pelo rei, e, com ele, o insólito privilégio.

Tom Canty viveu até avançada idade, bonito, com cabelos brancos, que lhe davam um ar grave e bondoso. Enquanto viveu, foi honrado e reverenciado, pois sua admirável roupa mantinha viva na lembrança do povo que, "em seu tempo, ele também foi rei". Portanto, onde quer que aparecesse, a multidão lhe abria passagem e cochichava:

— Tire o chapéu, é o guarda do rei!

Saudavam-no, e ele retribuía com seu bondoso sorriso. Também era apreciado, porque a sua fora uma história honrada.

Sim, o rei Eduardo VI viveu apenas alguns anos, pobre criança, mas viveu-os honradamente. Mais de uma vez, quando algum dignitário, algum brilhante vassalo da coroa, criticava-lhe a brandura e argumentava que alguma lei, que ele emendara, era demasiado moderada e não acarretava nem sofrimento nem opressão, a ponto de ninguém se incomodar com ela, o jovem rei lhe lançava a pesarosa eloquência de seus olhos compassivos e respondia:

— Que sabe você sobre sofrimento e opressão? Eu e meu povo sabemos, você não.

O reinado de Eduardo VI foi particularmente benéfico para aquela sombria época. Agora que devemos deixá-lo, tentemos conservá-lo na memória, para mérito dele.

NOTA GERAL

Fala-se muito das "hediondas leis de Connecticut" e costuma-se estremecer de terror à sua menção. Há quem pense, na América — e até na Inglaterra! —, que elas são um monumento à maldade, à impiedade e à desumanidade, quando, na realidade, foram a primeira tentativa de *libertação da atrocidade judicial* que o mundo "civilizado" já viu. Esse código humano e benévolo da Lei-Triste, de duzentos e quarenta anos atrás, mantém-se até hoje, com décadas de atrocidades, do outro lado do oceano, e um século e três quartos de sangrenta lei inglesa, deste lado do oceano.

Nunca houve uma época — sob a severidade das leis puritanas ou de qualquer outra — em que mais de catorze crimes tivessem sido punidos com a morte em Connecticut. Mas, na Inglaterra, a memória dos homens que ainda conservam a sanidade física e mental acusa que *duzentos e vinte e três* crimes foram punidos com a morte*! É preciso conhecer esses fatos — é preciso também refletir sobre eles.

---

* Ver J. Hammond Trumbull. *Leis tristes, verdade ou mentira*, p. 11.